36 jeux drôles pour pimenter votre vie amoureuse

Design
Jean-François Lejeune et Patrice Saint-Amour

Catalogage avant publication de Bibliothèque et Archives Canada

Maurice, Albertine   36 jeux drôles pour pimenter votre vie amoureuse

1. Sexualité. 2. Couples. 3. Jeux.
I. Maurice, Christophe. II. Titre. III. Titre : 36 jeux drôles pour pimenter votre vie amoureuse

HQ21.M24 2002   306.7   C2002-941089-4

DISTRIBUTEURS EXCLUSIFS :

• POUR LE CANADA ET LES ÉTATS-UNIS :
MESSAGERIES ADP*
955, rue Amherst
Montréal - Québec - H2L 3K4
Tél. : (514) 523-1182
Télécopieur : (514) 939-0406
* Filiale de Sogides ltée

• POUR LA FRANCE ET LES AUTRES PAYS :
INTERFORUM
Immeuble Paryseine, 3, Allée de la Seine
94854 Ivry Cedex
Tél. : 01 49 59 11 89/91
Télécopieur : 01 49 59 11 96
Commandes : Tél. : 02 38 32 71 00
Télécopieur : 02 38 32 71 28

• POUR LA SUISSE :
INTERFORUM SUISSE
Case postale 69 - 1701 Fribourg - Suisse
Tél. : (41-26) 460-80-60
Télécopieur : (41-26) 460-80-68
Internet : www.havas.ch - Email : office@havas.ch
DISTRIBUTION : OLF SA
Z.I. 3, Corminbœuf - Case postale 1061 - CH-1701 FRIBOURG
Commandes : Tél. : (41-26) 467-53-33
Télécopieur : (41-26) 467-54-66
Email : commande@ofl.ch

• POUR LA BELGIQUE ET LE LUXEMBOURG :
INTERFORUM BENELUX
Boulevard de l'Europe 117 - B-1301 Wavre
Tél. : (010) 42-03-20
Télécopieur : (010) 41-20-24
http://www.vups.be - Email : info@vups.be

Gouvernement du Québec – Programme de crédit d'impôt pour l'édition de livres – Gestion SODEC.

L'Éditeur bénéficie du soutien de la Société de développement des entreprises culturelles du Québec pour son programme d'édition.

Nous reconnaissons l'aide financière du gouvernement du Canada par l'entremise du Programme d'aide au développement de l'industrie de l'édition (PADIÉ) pour nos activités d'édition.

Dépôt légal : 4e trimestre 2002
Bibliothèque nationale du Québec

ISBN 2-7619-1756-1

Albertine et
Christophe
Maurice

36 jeux drôles pour pimenter votre vie amoureuse

elle

LES ÉDITIONS DE
L'HOMME

Sommaire

Introduction

Si vous vivez en couple et que le sexe est pour vous source d'humour, de plaisir et d'épanouissement personnel, bravo ! Vous faites partie des 30 pour cent de couples qui mènent une vie sexuelle heureuse. Ce livre vous ira comme un gant. Vous y trouverez de quoi étendre la gamme de vos fantaisies sexuelles. Et il y a fort à parier que vous découvrirez votre partenaire et le couple que vous formez sous un nouveau jour à travers les petites mises en scène que nous vous proposons. Si en revanche le sexe vous stresse, vous ennuie, vous inhibe ou suscite dégoût et écœurement, alors désolés, mais ce livre est aussi conçu pour vous ! Accepter l'amour comme un jeu représente le plus sûr moyen de rompre la monotonie, de réparer les libidos en panne et d'évacuer les frustrations et les mini-violences de la vie quotidienne. En un mot, les jeux que nous vous proposons dans ce livre permettent d'accéder au bonheur du couple et à l'accomplissement personnel. Observez les gens qui vous entourent ! Ceux qui ne vivent pas des relations amoureuses satisfaisantes sont vite reconnaissables. Tristes, agressifs, dépressifs ou pontifiants, ce sont des gens qui souffrent et qui essaiment leur souffrance. Leur faiblesse les enferme dans des certitudes et les prive de toute capacité d'écoute et d'ouverture au monde. Nous avons la conviction qu'une sexualité joyeuse pourrait les rendre plus positifs et réceptifs aux autres. En effet, la libido ne s'arrête pas à la porte de la chambre. Elle est une force débordante qui contribue à notre bien-être et à notre équilibre vital.

QUI SONT LES AUTEURS DE CE LIVRE ?

Une femme et un homme, la quarantaine naissante. Nous avons un travail, une vie de famille, des enfants et nous formons un couple depuis vingt et un ans. Bien sûr nous eûmes des orages, comme dit la chanson, mais notre navire est resté à flots. L'orage est un bon moyen de tester la solidité de la coque. Nous pratiquons le jeu de rôle dans notre couple, toujours avec volupté, souvent avec émotion. C'est la raison pour laquelle nous souhaitons vous faire partager ce divertissement. Une précision s'impose : n'allez pas imaginer que toutes nos relations amoureuses font l'objet d'une mise en scène telle que celles qui sont décrites plus loin. La plupart des jeux de rôle nécessitent une disponibilité, du temps à deux, ce qui n'est pas toujours compatible avec les aléas de la vie quotidienne. La médaille possède toutefois un revers charmant : le fait de préparer un rôle, de s'entendre sur l'heure, la date et le lieu du jeu crée une émulation et une complicité particulièrement excitantes.

POURQUOI CE LIVRE ?

Cet ouvrage n'est ni un traité de sexologie, ni un ouvrage pornographique, ni un livre technique rébarbatif. C'est un recueil de petits jeux érotiques drôles et rafraîchissants. Inutile donc d'y chercher compulsivement la recette du toucher prostatique ou le détail des mille et une positions de l'amour. Il existe bon nombre d'ouvrages sur ces questions que vous pouvez consulter pour plus d'informations. Du reste, pensez à sortir le nez de ce genre de documentation et faites preuve d'un peu de créativité : changez vos habitudes, cessez de penser que vous n'avez pas d'idées, faites sauter vos verrous intérieurs, sortez des règles établies et surtout, amusez-vous !

À QUI S'ADRESSE CE LIVRE ?

Même si sa présentation peut laisser croire que cet ouvrage s'adresse uniquement à des couples hétérosexuels, il n'en est rien ! Nous sommes persuadés que les couples homosexuels trouveront autant de plaisir que nous à mettre en scène ces petites actions « dramatiques ». Il leur suffira de changer le sexe des personnages présentés au début de chaque jeu, ce qui n'est, vous en conviendrez, tout de même pas la mer à boire !
Ce livre s'adresse à tous les couples, toutes générations confondues, officiels ou non, qui souhaitent briser la routine amoureuse et retrouver un équilibre affectif et sexuel à travers des expériences inédites. Il n'est pas réservé aux éphèbes et aux mannequins. Quels que soient vos complexes, vos disgrâces supposées ou réelles, vous êtes autorisés à tout oublier pour

donner
et prendre du
plaisir. « Aimer ce n'est
pas se regarder l'un l'autre,
c'est regarder ensemble dans la
même direction » a dit Saint-Exupéry.

QU'EST-CE QU'UN JEU DE RÔLE ?

Lorsque nous étions enfants, nous avons
tous expérimenté nos premiers rôles en
jouant à la dînette, à papa-maman, au docteur,
aux gendarmes et aux voleurs, à la marchande,
sans que personne ne s'en offusque. C'est ainsi,
par le jeu, que nous nous sommes construits.
Pourtant, les jeux de rôle ont mauvaise presse.
Ils sont souvent considérés, au mieux comme
des activités d'ados prépubères, au pire comme
le reflet d'une personnalité perturbée.
Il s'agit selon nous d'un mauvais procès d'intention
ou d'une perception déformée. Certes les jeux de
rôle sont auréolés d'une part de mystère tout à fait
excitante. Ils permettent d'expérimenter des
situations nouvelles, de se tester soi-même et de
tester l'autre. Mais, sous réserve de respecter
une clause de confiance, doit-on avoir peur de
cela ? Peut-être, si l'on souhaite rester dans
l'ignorance, dans la morale sociale
émasculatrice ou l'hypocritement correct...
Les jeux de rôle sont des jeux de
simulation dont le principe fondateur
est de placer les protagonistes dans
une situation singulière qui libère
leur spontanéité et les
rend plus réceptifs.

Ils permettent de mieux comprendre l'autre
et facilitent les rapports entre les individus.
Ils sont principalement utilisés en formation
personnelle et professionnelle, en thérapie, ou
comme méthodes pédagogiques. Nous prenons
donc la liberté de les détourner de leur champ
d'action traditionnel pour les installer sur notre
terrain de récréation, en espérant que les puristes
ne nous en tiendront pas rigueur.
Selon les divertissements que nous vous proposons,
vous pouvez jouer à être vous-même, à être un autre,
ou à être l'autre, l'un des amants prenant le rôle
de son complice. C'est selon le plaisir recherché !
Quoi qu'il en soit, « les scènes de théâtre font
disparaître les scènes de ménage ! » Cette citation
de Jacob Levy Moreno, le créateur du jeu de rôle,
nous renforce dans notre conviction : les divertissements, fantaisies variées et autres petits jeux
érotiques proposés ici pourraient bien à l'avenir
occuper une place de choix dans l'équilibre
intime de votre couple, pour une joie
véritable. C'est en tout cas tout le
mal que nous vous souhaitons !

Le mode d'emploi

COMMENT PROCÉDER ?

Lisez chacun de votre côté
la partie qui vous concerne
sans aller guigner dans
les plates-bandes de
votre partenaire. C'est
un principe de base
sur lequel repose la
réussite du jeu. Les
scénarios sont classés
du plus sage au plus
leste, dans le même
ordre pour chaque
livre. Nous vous
conseillons, pour
commencer, de choisir
un jeu en début de partie
pour vous faire la main.
En effet, la première expérience
peut se révéler infructueuse:
l'un des partenaires
(ou les deux) bloque,
le rire ou la charge
émotionnelle

Dans ce livre,
nous avons classé les jeux
de rôle qui s'adressent plutôt
aux femmes. Mais, nous l'avons vu,
cette organisation reste purement
formelle. Rien ne vous empêche de renverser les rôles. Dans l'autre, nous vous
présentons les scénarios qui concernent les hommes. Chaque scénario
occupe deux pages et possède
son jumeau dans l'autre
livre.

l'emportent et le jeu s'arrête là. Si le cas se produisait, n'en faites pas une maladie, et recommencez plus tard. Dites-vous que ce n'est qu'un jeu. Après tout, ce n'est que cela !

DÉCIDEZ ENSEMBLE

Mettez-vous d'accord avec votre partenaire sur le scénario sélectionné et décidez d'un jour et d'une heure pour vos ébats. Choisissez une plage horaire pendant laquelle vous êtes sûrs que vous ne serez pas dérangés par la voiture télécommandée du petit dernier ou la chasse d'eau du voisin et essayez, dans la mesure du possible, de vous tenir à cette décision. Il arrive que, par crainte de l'échec, on adopte une attitude de fuite, qu'on remette le jeu à plus tard ou qu'on reproche à l'autre son empressement à vouloir participer à des activités débiles. Non ! Un peu d'honnêteté. Il faut que les choses soient claires d'entrée de jeu entre vous. Les fiches de rôle sont des déclencheurs. Lisez-les attentivement. Elles présentent des personnages et une situation concrète qui sera le point de départ du jeu. Réfléchissez à la façon dont vous pouvez faire évoluer le scénario. Cherchez quels sont les besoins de votre partenaire et faites en sorte de ne pas les décevoir. L'imagination est au pouvoir !

LE JOUR J

Si la rencontre se passe chez vous, débranchez le téléphone et préparez-vous en cachette chacun de votre côté. Osez des tenues vestimentaires et des accessoires fantaisistes ou insolites : déguisements, vêtements moulants, corsets, cache-sexe, gants, lingerie noire, perruque, boucles, cuir, fourrure, plumes, latex, dentelle, rubans, bottes. Vous n'avez que l'embarras du choix ! Le maquillage est également un puissant stimulant sexuel pour certaines personnes.

LA PREMIÈRE FOIS

Lors de vos premières expériences, vous pouvez demander à votre partenaire de choisir les vêtements qu'il souhaite vous voir porter pendant le jeu et faire de même pour lui. Lorsque vous aurez une bonne pratique des jeux de rôle, rien ne vous empêchera de porter des vêtements féminins si vous êtes un homme et réciproquement. À vous de voir si cette inversion vous tente.

Soignez l'ambiance, le décor, la lumière. Vous pouvez punaiser des tentures sur les cloisons, faire brûler un bâton d'encens ou allumer des bougies dans le noir complet si ça vous chante. Un fond musical sensuel ajoute parfois une note agréable à la cérémonie.

Bien entendu, ne gardez pas le livre à la main pour suivre nos indications à la lettre.

D'une part, vous auriez l'air un peu cucul la praline, d'autre part, s'ils peuvent vous apparaître directifs sur la forme, les scénarios ne sont que des débuts de recette. L'ingéniosité et la compétence des cuisiniers, leur bonne connaissance des épices et des herbes déterminent à 95 pour cent la réussite du plat. Si la scène se passe à l'extérieur, arrangez-vous pour ne pas arriver en même temps sur les lieux. Le fait de se fixer un rendez-vous clandestin, d'attendre ou de rejoindre son partenaire dans un endroit inusité constitue une mise en bouche érotique particulièrement efficace pour la suite.

FINIR LE JEU

À titre personnel, nous ne faisons pas du coït le passage obligé ou le but de chaque jeu de rôle. Nous avons plaisir à nous retrouver pour ces moments intimes, mais il arrive que le jeu s'achève par des caresses ou des étreintes. C'est une question de choix... À la fin du jeu, vous pouvez reprendre vos activités habituelles en vous passant de commentaires. Vous pouvez aussi échanger vos sensations. Il faut être capable pour cela de dialoguer avec tendresse, de ne pas émettre de jugements sur l'autre et être sûr que votre partenaire accueille vos remarques avec bienveillance.

PRENEZ VOTRE TEMPS

C'est un conseil pour réussir: divaguez, fantasmez, faites ce qui vous plaît, mais prenez votre temps. Se jeter sur son partenaire comme un animal en rut sans caresses, ni baisers, c'est oublier une chose. pour les animaux, l'activité sexuelle est une fonction, pour les êtres humains, (la plupart des êtres humains...) c'est un art.

Les règles du jeu règles du jeu règles du jeu

JOUEZ LE JEU

Prendre un rôle, c'est
avoir le désir et la chance
de s'immerger dans un univers
différent de l'univers que nous
connaissons habituellement.
Vous aurez à faire des
choix pour définir votre
nouveau rôle, décider
d'adopter tel ou tel
comportement, telle
ou telle attitude,
en fonction de ce
que vous pensez
que votre partenaire
attend de vous. Pour
cela, essayez de vous
investir dans votre rôle.
Jouez-le comme si vous
étiez un acteur et faites
en sorte que vos actions soient
cohérentes entre elles et avec
le personnage que vous
représentez. Respectez
également les noms
des personnages
et la

Il peut sembler
surprenant de parler de
règles concernant une activité qui,
par nature, devrait être affranchie de
toute contrainte sociale ou morale. Cependant, il nous paraît opportun de vous proposer un cadre minimal pour la mise en place
des jeux de rôle. Rien ne vous oblige à le
prendre en considération. Si vous esti-
mez être assez grands pour savoir
ce que vous avez à faire, sau-
tez ce paragraphe

nature des relations qu'ils sont censés entretenir entre eux. Si vous n'aviez qu'une chose à retenir ce serait celle-ci : prendre un rôle, au théâtre comme en amour, c'est faire don de soi. Cette forme d'abandon de soi au personnage que l'on joue peut susciter un sentiment de crainte ou un refus catégorique chez certaines personnes timides ou mal dans leur peau. En principe, cette crainte disparaît très rapidement lorsque le partenaire joue le jeu dans le jeu.

CONSIDÉREZ L'AUTRE COMME VOTRE ÉGAL

Le succès du jeu de rôle repose sur un ensemble de règles tacites qui préexistent dans le couple : tout d'abord, êtes-vous tous les deux d'accord pour participer à des mises en scène érotiques ? C'est la première question à régler ensemble. Les protagonistes doivent ensuite se respecter mutuellement et se considérer comme l'égal l'un de l'autre. Est-ce bien votre cas ? La vision archaïque selon laquelle la femme serait soumise et l'homme actif ne devrait plus être à l'ordre du jour. Bien sûr, rien n'empêche de mettre en scène le fantasme, paraît-il très féminin, de passivité ou de soumission. Mais c'est pour jouer ; pour faire « comme si... » Dans la réalité, les individus veilleront à exprimer correctement leur affection et à respecter certaines limites : celles que leur impose leur partenaire qui n'est ni un objet ni un faire-valoir.

CONTRÔLEZ VOTRE AGRESSIVITÉ

Certains jeux de rôle offrent la possibilité de simuler des situations violentes, ce qui correspond à la quête de certains couples. Là encore, attention ! S'il est tout à fait possible de trouver un équilibre entre la brutalité et la tendresse, vous devez être tous les deux sur la même longueur d'onde pour éviter que n'interviennent des instincts violents dans votre relation. Les pratiques sadomasochistes, le bondage, qui consiste à attacher l'un des partenaires, la flagellation et autres amusements sont des activités tout à fait concevables dans le cadre de nos scénarios à condition qu'ils répondent au désir et au plaisir des deux partenaires. Si tel n'était pas le cas, abstenez-vous ou changez de partenaire. Nous n'avons pas l'intention de cautionner votre despotisme affectif ou votre cruauté. Notez qu'il vous est toujours possible de mettre en scène un rituel de ce type et de simuler les actions sans les conduire à leur terme.

PRENEZ UNE DOUCHE

Les jeux érotiques nécessitent une hygiène corporelle irréprochable. Utilisez des sous-vêtements propres, mais évitez l'usage du déodorant. Soignez les ongles de vos mains et de vos pieds. Coiffez-vous et brossez-vous les dents. L'aïoli est certes un plat délicieux, mais il n'est pas garanti que votre partenaire en apprécie les effets sur votre haleine.

DESCRIPTION Que diriez-vous d'un peu de romantisme ? Aimeriez-vous retrouver l'émotion sensuelle des premiers rendez-vous ? Votre partenaire va tenter de vous conquérir en faisant du passé table rase, comme si vous étiez deux inconnus qui se rencontrent pour la première fois. Laissez-vous séduire sans arrière-pensées négatives. Se redécouvrir fait souvent un bien fou, surtout quand le couple a de longues heures de vol derrière lui.

DÉROULEMENT Définissez ensemble l'endroit de la rencontre : dans la rue, au cours d'une soirée, dans un bar, une discothèque, lors d'une randonnée ? C'est important pour amorcer de façon claire le début du jeu. Ensuite, plusieurs solutions s'offrent à vous : vous pouvez laisser votre partenaire prendre les initiatives et y répondre, favorablement ou non (rien ne vous empêche de faire un peu de résistance au début pour montrer que vous n'êtes pas une proie facile). Vous pouvez aussi prendre les choses en main et vous rendre irrésistible. Dans ce jeu, il est nécessaire de ne jamais faire référence au passé. Vous pouvez dialoguer, échanger vos sentiments, mais ne revenez pas sur vos dernières vacances ou sur le bruit bizarre qu'émet, depuis quelques jours, la machine à laver pendant l'essorage. Prenez votre temps. Se jeter dans les bras l'un de l'autre, trois minutes après l'ouverture du jeu, ferait retomber le charme de cette première rencontre à la manière de blancs d'œufs insuffisamment battus. De même vous éviterez de vous déclarer séance tenante. Un peu de patience, que diable ! L'essentiel pour la réussite de ce jeu consiste à bousculer la routine du couple, les attitudes attendues, les rôles en conserve. Adopter des comportements différents de ceux que votre partenaire vous connaît au quotidien. Et surtout : apprendre à se surprendre. Surprendre l'autre, se surprendre soi-même, voilà une des plus grandes richesses que vous possédez.

ACCESSOIRES Pas d'accessoires particuliers. Soignez votre aspect vestimentaire.

VARIATIONS Faire abstraction d'un passé relationnel commun est une des difficultés majeures de ce jeu. Nous croyons, un peu hâtivement, tout connaître de la personne avec qui nous vivons. Ce qui est évidemment un leurre... La première phase de ce jeu vous a plu ? Faites-le durer le plus longtemps possible et essayez d'en conserver l'esprit. Habiter séparément pendant la durée du jeu ou mettre à profit le retour d'un voyage professionnel de l'un des partenaires peut constituer un déclencheur intéressant pour cette mise en scène.

ELLE : JULIA

1 ▶ PREMIÈRE RENCONTRE

LUI : PIERRE

DESCRIPTION

Vous avez faim, diablement faim. Et votre flair ne
vous trompe pas! Il y a dans cette pièce de quoi vous rassa-
sier. Le problème c'est que vous n'y voyez rien. La lumière est éteinte.
Vous êtes dans le noir complet. À vous de retrouver le mets convoité...

DÉROULEMENT

Pour ce jeu, les protagonistes sont nus ou très légèrement vêtus et ils pénètrent à tour de
rôle dans la pièce. Laissez votre partenaire entrer le premier et attendez qu'il se soit
tapi dans l'ombre pour partir à sa recherche. Soyez attentive aux frôlements, au
bruit de sa respiration, à son odeur. Pour des raisons de sécurité, ne bondissez
pas comme un diable de sa boîte. Déplacez-vous le plus silencieusement
possible pour éviter que votre proie ne vous file entre les doigts.
Consommez ensuite votre festin comme bon vous semble.
Évitez toutefois de déchirer votre partenaire
à belles dents!

ACCESSOIRES

Déménagez les meubles anguleux contre
lesquels vous pourriez vous blesser. Choisissez la pièce
la plus vaste de la maison pour ce jeu et installez des poufs,
des coussins et des matelas pour corser la difficulté.

ELLE : UN CHAT AFFAMÉ

2 ▼ AFFAMÉE

LUI : UNE SOURIS

VARIATIONS

Il s'agit d'une variante friponne du jeu enfantin du chat et de la souris. Vous pouvez à votre
guise jouer à la chèvre et au loup, à la poule et au renard, à la grenouille et au serpent,
en respectant, par exemple, le mode de déplacement de ces animaux. Ce jeu peut se
pratiquer habillés ; vous aurez donc à déballer votre repas avec empressement.
Décidez d'un commun accord si la souris est autorisée à se déplacer ou
non. Dans une pièce suffisamment grande, votre partenaire peut
se cacher et attendre que vous le trouviez. Il peut aussi
émettre discrètement des signaux sonores très
brefs, pour vous mettre sur la voie.

DESCRIPTION

Ugo est votre petit ami
depuis trois jours,
mais il
ne s'est encore
rien passé entre vous.
Vous avez rendez-vous avec lui,
au jardin public, après les cours.
Ensemble vous allez avoir un flirt poussé.

DÉROULEMENT

Une seule règle pour ce jeu : on ne se déshabille pas, on ne glisse pas les mains sous les vêtements. On se caresse partout, on s'embrasse, on se frotte l'un contre l'autre. Mais c'est tout ! Les choses doivent en rester là pour le moment. Le jeu peut se pratiquer assis sur un banc, mais il est plus agréable debout, l'un des partenaires s'appuyant contre un arbre. Faites durer le plaisir et retrouvez vos premières sensations amoureuses.

ACCESSOIRES

Aucun accessoire pour ce jeu. Choisissez un endroit où vous serez au calme, derrière une haie ou un buisson. À moins que vous ne souhaitiez vous afficher au grand jour. Si vous recherchez un minimum d'intimité, évitez de jouer un jour au cours duquel les enfants sont en congé.

À noter : les jours de pluie sont très stimulants pour ce genre de rendez-vous.

VARIATIONS

Voilà un petit jeu qui peut se pratiquer à peu près partout : dans les endroits publics, les salles d'attente, sur les quais de gare ou dans les trains, sous les porches... Et à tout âge ! Une ville avec des jardins et des amoureux a un petit côté sympathique qui n'échappe à personne. On ne viendra jamais vous reprocher de flirter ensemble, sauf si la localisation de vos caresses s'avérait trop suggestive.

DESCRIPTION Voici un petit jeu d'attrape très prisé dans les cours d'école. Il nous a inspiré une version plus épicée. À déconseiller donc aux jeunes enfants. **DÉROULEMENT** Vous êtes la sorcière. La sorcière dispose d'un pouvoir magique : elle peut, d'une touche ou par tout autre type de contact physique, transformer le lutin en statue pendant une durée déterminée par sa capacité de sorcière à ne pas rire ni sourire. Durant cette période, elle a toute latitude d'action. C'est-à-dire qu'elle peut prodiguer caresses, baisers, frôlements, effeuiller son partenaire ou bien faire mine de le dévorer, se donner en spectacle, lui murmurer des secrets ou des obscénités... Le champ est libre. Mais attention ! Au moindre rire, à la plus fine esquisse de sourire, le lutin s'enfuit et la sorcière s'efforce de le rattraper pour le paralyser à nouveau. C'est aussi bête que cela, et l'on peut jouer... des heures. Pour peu que l'on fasse fi des conventions sociales et que l'on sache retrouver une âme d'enfant. Ce qui n'est pas donné à tout le monde. **ACCESSOIRES** Choisissez une aire de jeu suffisamment vaste pour pouvoir vous déplacer sans vous briser un orteil dans les pieds de la table ou culbuter le vase en cristal que vous a offert votre belle-mère. Nous vous conseillons de prévoir un matelas à proximité, pour le cas où certains maléfices surviendraient à l'horizontale ! À moins que les acariens de la moquette ne vous soient d'une aimable compagnie. Côté vestimentaire, n'hésitez pas à vous accoutrer bizarrement. Vous pouvez également vous coller une verrue sur le nez et du poil au menton, si vous ne craignez pas que votre lutin parte à la débandade. **VARIATIONS** Inversez les rôles toutes les dix minutes, c'est plus amusant. Le pouvoir change de main. La sorcière devient un lutin et le lutin, un sorcier. Si la sorcière est un peu crispée, inventez un autre système pour la libération du lutin ou bien fixez un temps d'immobilisation, par exemple, à l'aide d'un sablier.

ELLE : LA SORCIÈRE

4 ▶ LE JEU DE LA STATUE

LUI : UN LUTIN

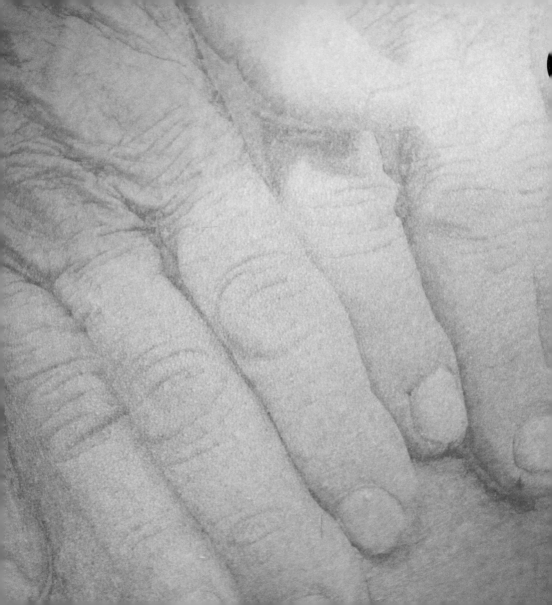

DESCRIPTION

Vous êtes placée en tas,
au centre de la pièce. Un livreur vous a déposée ce matin
dans cet atelier et vous attendez que le maître vous donne vie.

DÉROULEMENT

Nous reprenons à notre compte la légende de Pygmalion, ce roi de Chypre
amoureux d'une statue dont il était le créateur et qu'Aphrodite dota d'une existence
humaine. Dans ce jeu, votre rôle consiste à suivre, sans sourciller, les mouvements
impulsés par le modeleur. Laissez-le vous prendre en main, vous donner une forme,
vous claquer, vous pétrir. Il passera ensuite à des activités plus fouillées, plus minutieuses,
avant qu'Aphrodite ne vous insuffle la vie et la capacité de ressentir des désirs charnels.

ACCESSOIRES

Pas d'accessoires pour votre partie.

VARIATIONS

Nous proposons à votre complice d'autres jeux possibles, dans lesquels le corps
du partenaire sert de base aux divertissements. Par exemple, le pâtissier et
la préparation d'un gâteau, le jardinier préparant ses semis, le mécano
penché dans un moteur en panne. La liste n'est pas exhaustive.
Utilisez un petit carnet pour noter les idées qui vous
passent par la tête.

DESCRIPTION

Vous avez réussi à vous échapper du
domicile familial en prétextant une visite de courtoisie
à votre grand-mère. Les grands-mères sont souvent de précieux
alibis pour s'émanciper et découvrir le monde. Pour renforcer votre
crédit, vous vous êtes munie d'une galette et d'un petit pot de beurre.
Votre maman est d'un naturel soupçonneux. Vous entrez dans la forêt, évidemment
très sombre, en fin d'après-midi. Ce bon vieux loup a la fringale et vous avez une terrible
envie de vous faire croquer...

DÉROULEMENT

« Oui mais pas tout de suite, pas trop vite », comme dit la chanson. Vous ne souhaitez pas tomber toute crue entre les pattes de la méchante bête. Ce loup, il faut le faire un peu mariner. Vous folâtrez, cueillant ici et là quelques fleurs. Et voilà que surgit l'animal. Vous vous enfuyez à toutes jambes en poussant de petits cris effarouchés. Dissimulez-vous derrière un fourré, sous une coulée de verdure ou dans une cavité rocheuse. Et dès que la bête réapparaît, détalez à nouveau. Vous n'êtes pas une proie facile. Qu'il se le dise ! Poursuivez ce petit manège jusqu'à l'épuisement. Vous tomberez ensuite, ruisselante de sueur, sous l'emprise de votre prédateur, prête à vous faire croquer. Pratiquez ce jeu en forêt, par beau temps ou sous la pluie, nue sous une pèlerine ou un simple imperméable. Prévoyez des sandales adaptées à la course.

ACCESSOIRES

La galette et le petit pot de beurre ne sont pas des accessoires indispensables, sauf si vous prévoyez de rejouer avec le loup certaines scènes du *Dernier tango à Paris*. Dans ce cas, n'oubliez que la galette ! Si vous jouez à la tombée de la nuit, dans un bois immense, pensez à vous munir d'une lampe de poche, d'une carte et d'une boussole. On ne sait jamais...

VARIATIONS

Les jeux de poursuite sont pour de nombreux amants terriblement excitants, surtout lorsque la traque se prolonge. Nous vous proposons une version aquatique dans laquelle une nageuse gracile est poursuivie par un requin démoniaque. Mais vous pouvez imaginer bien d'autres situations de ce type et inverser les rôles : une méchante sorcière pourchasse un petit garçon, une mante religieuse un délicieux criquet, etc.

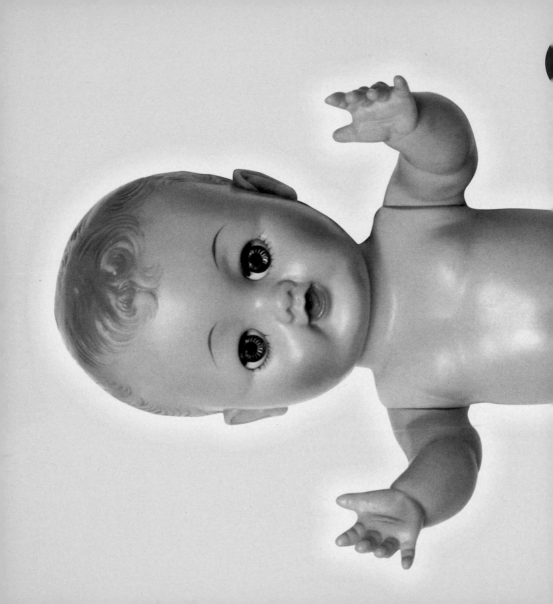

DESCRIPTION

Votre grande sœur est partie à l'étang
avec maman pour donner du pain sec aux cygnes.

Vous restez seule à la maison sous la garde distraite de votre père
qui trie des lentilles dans l'atelier. La voie est donc libre pour une incursion
dans la chambre de votre sœur aînée et l'exploration minutieuse de Doudou, le joli
baigneur qu'elle a reçu pour son anniversaire et qu'elle vous interdit de toucher.

DÉROULEMENT

Braver les interdits et retrouver les mots et les gestes de la petite enfance n'ont rien
d'une activité débilitante. C'est par le jeu que nous nous sommes construits en tant qu'adultes
et c'est par le jeu que nous pouvons expulser notre stress et régler nos conflits intérieurs.

Ce baigneur, vous avez une envie folle de jouer avec lui, de faire la maman,
de le déshabiller, de découvrir sa géographie corporelle et les délices du touche-pipi.

Pourquoi passer à côté de cette fraîcheur inventive ?

Peut-être vous sentez-vous incapable de babiller des histoires invraisemblables à votre bébé ?

Essayez donc pour voir ! Doudou n'est pas sage ? Pan ! Une tape sur les fesses !

Vous voulez vous accroupir sur son ventre et faire pipi sur lui ? Qu'est-ce qui vous en empêche ?

Maintenant, c'est l'heure du repas. Oh ! Quel cochon ! Doudou s'en met partout.

Lavez-le délicatement à petits coups de langue. Hum ! C'est bon.

Un peu de maquillage et le rouge à lèvre de maman… Il est beau le Doudou.

À présent, il faut l'habiller. Et si vous le pariez de vos habits personnels ?

Un Doudou en fille, cela doit valoir la peine ce s'y intéresser. Non ?

ACCESSOIRES

Préparez des petits pots, de la compote, du maquillage et des vêtements féminins.

VARIATIONS

Il existe une multitude de variantes à ce jeu,
mais une fois n'est pas coutume,
nous vous laissons le soin d'y réfléchir.
Une seule consigne : tout est permis.

AVERTISSEMENT : l'hypnose est une technique et un moyen thérapeutique fondés sur la suggestion et un médecin traitant vous a recommandée auprès du docteur Amadeus depuis des années de violents maux de tête... DESCRIPTION Vous souffrez interdite par la loi dans un cadre de nombreux pays. Nous rappelons donc qu'il ne s'agit dans le cadre de ce jeu que d'une simulation et que vous ne devriez jamais tenter d'hypnotiser réellement quelqu'un. La question... DÉROULEMENT Suivez les instructions un hypnotiseur. Laissez-vous à feindre l'état hypnotique, vous devriez faire preuve de fantaisie. ACCESSOIRES Pas d'accessoires particuliers. VARIANTES l'exercice est amusant si vous y attribuez les rôles en mise en scène lors d'un prochain jeu. INVENTIONS

AVERTISSEMENT : L'hypnose est une technique et un moyen thérapeutique fondés sur la suggestion et utilisés par des personnes autorisées selon des principes éthiques très stricts. L'hypnose de salon est une pratique interdite par la loi dans de nombreux pays. Nous rappelons donc qu'il ne s'agit, dans le cadre de ce livre, que d'un simple jeu de simulation, lié à une pratique amoureuse, avec des partenaires consentants et sans intention manipulatoire.

DESCRIPTION Vous souffrez depuis des années de violentes crises d'angoisse. Aucun traitement ne vous a véritablement soulagé. Votre médecin traitant vous a recommandée auprès du docteur Amadeus, un hypnotiseur reconnu sur la place publique. Mais il n'est pas impossible que ce traitement repose sur votre capacité à feindre l'état hypnotique. Si votre amant sait faire preuve de fantaisie... vous serez plus troublés...

DÉROULEMENT Suivez les instructions du docteur Amadeus. Laissez-vous apprécier le ravissement de cette mise en scène. Répondez à ses questions. La réussite du jeu repose sur votre capacité à feindre l'état hypnotique. Si votre amant sait faire preuve de fantaisie, vous devriez apprécier le ravissement par ce divertissement.

ACCESSOIRES Pas d'accessoires. L'exercice est particulièrement stimulant !

VARIATIONS Inversez les rôles lors d'un prochain jeu.

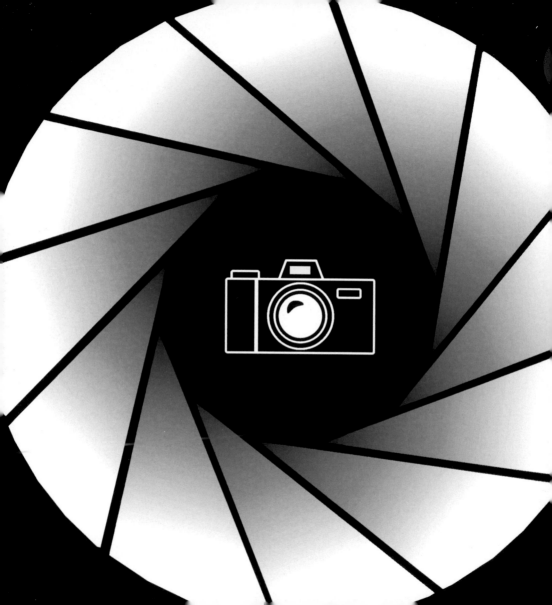

DESCRIPTION

Aimez-vous être photographiée, prendre la pose,
mettre vos charmes en lumière ? Vous démarrez une carrière
de mannequin et vous avez besoin d'un *book* pour visiter les agences
de mode pour lesquelles vous souhaitez travailler. Vous avez confié la réali-
sation de ce document à Dominique, un photographe de mode confirmé, quoique un
peu cher. Aujourd'hui, vous avez rendez-vous avec lui, pour une séance de prise de vues
dans son studio.

DÉROULEMENT

C'est votre première séance photo. Vous n'avez aucune idée précise sur la façon dont elle va se
dérouler. Laissez donc le professionnel prendre les choses en main. Vous êtes réticente ?
Détendez-vous. Certains photographes de mode ont la réputation d'être parfois inattendus.
En serez-vous choquée ?

ACCESSOIRES

Aucun accessoire pour la partie qui vous concerne.

VARIATIONS

Vous avez le choix entre plusieurs types d'attitudes dans cette mise en scène :
- Séduire le photographe d'entrée de jeu et lui demander un rabais ;
- Refuser par principe toutes les poses que vous jugez trop crues ;
- Être plus entreprenante, à la limite de l'exhibitionnisme ;
- Jouer la fille sage, docile mais un peu pudique.
Faites selon vos envies...

DESCRIPTION

Le dressage des félins, c'est votre affaire depuis des lustres. Il faut dire que vous êtes née dans l'univers du cirque. Votre père, lui-même, était dompteur de fauves, quand votre mère se pavanait sur la trompe des éléphants. Ce soir, vous donnez une représentation dans une ville de province. Mais Bang n'a pas l'air dans son assiette. Vous le sentez nerveux lorsqu'il entre sur la piste...

DÉROULEMENT

Avez-vous déjà assisté à des spectacles de cirque ? Oui ? Alors ce numéro ne devrait pas vous poser de problème. Faites travailler votre animal au rythme de la cravache et des claquements du fouet. Intimez à votre fauve de bondir sur la table de la cuisine, de faire le beau en grognant, de se rouler sur le dos sur le tapis du salon. Caressez-lui le ventre avec la cravache. Plus périlleux encore : grimpez sur son échine et effectuez un tour de piste sous les applaudissements. Mais... Que se passe-t-il ? On dirait que Bang manifeste un sérieux mécontentement. Vous décelez dans son regard une lueur étrange qui vous fait frémir...

ACCESSOIRES

Une cravache, un fouet, des bottes et un maillot de bain échancré ou un justaucorps sont les accessoires que vous devrez préparer.

VARIATIONS

Il est tout à fait possible d'inverser les rôles lors d'une prochaine expérience. N'abusez pas du fouet et des coups de cravache sauf si la bête en redemande !

ELLE : LA DOMPTEUSE

10 ▸ CIRCUS PARADE

LUI : BANG, UN MAGNIFIQUE TIGRE DU BENGALE

DESCRIPTION

André vit seul dans un petit appartement, non loin de chez vous. Drôle de destin pour ce passionné de littérature, puisqu'il est devenu aveugle accidentellement. Votre bonté naturelle vous pousse à lui consacrer une heure ou deux, dans la semaine, pour lui faire la lecture. Vous savez qu'il adore ça et le plaisir est partagé. Sa compagnie ne vous est pas désagréable et vous êtes troublée par le fait que les mots et les inflexions de votre voix l'aident à construire des images mentales. Vous frappez chez André.

DÉROULEMENT

Premier travail : préparez avec soin la lecture du texte proposé à la page suivante. La musique, le timbre, la tessiture de votre voix, mais aussi votre respiration et la façon dont vous utilisez les silences, tous ces éléments influent sur la sensualité de votre lecture. Évitez à tout prix de lire le texte à la manière d'une écolière. Vivez-le ! Vous pouvez vous entraîner en vous enregistrant avec un magnétophone pour juger des effets produits. L'objectif est évidemment d'éveiller des sensations chez votre partenaire en éliminant un sens important dans la relation : le visuel.

Vous pouvez le regarder, mais lui ne vous voit pas. Jouez donc avec délicatesse sur ce décalage perceptif. Faites-le mariner. Lorsque vous aurez achevé votre lecture, demandez-lui doucement ce qu'il a ressenti. Dites-lui quels effets le texte a provoqué chez vous et rapprochez-vous de lui pour qu'il sente votre présence. Baignez-le de votre haleine. Vous pouvez commencer par des effleurements et vous laisser guider par ce que vous inspire le texte…

ACCESSOIRES

Pensez à vous munir du texte ci-après.

VARIATIONS

Vous pouvez renouveler ce petit jeu avec d'autres textes. La littérature érotique est suffisamment féconde et variée pour que chacun y trouve son contentement. Furetez dans les boutiques ou les rayons spécialisés pour dénicher des textes qui vous chantent. Ici, les rôles sont parfaitement renversables. Essayez pour voir. Sur le thème de l'écriture, on peut aussi mettre en scène un écrivain qui dicte un texte érotique à sa secrétaire.

— EXTRAIT DE *MÉMOIRES D'UNE CHANTEUSE ALLEMANDE* —

Arpad me conseilla de revenir sur nos pas, le Bois n'étant pas très sûr de nuit ; on y avait récemment assassiné quelqu'un.

- Auriez-vous par hasard peur, mon cher Arpad ? lui demandai-je. Je l'appelais déjà par son prénom, et il faisait de même ; notre intimité s'était déjà affirmée. Je l'avais amené, sinon contraint à des aveux ; il me jura, face aux étoiles et au ciel d'un azur sombre, qu'il m'aimerait jusqu'à sa mort, et qu'il était déjà tombé amoureux de moi à Francfort. Son imagination s'exaltait comme seul un adolescent au tempérament lyrique en est capable. Il serrait et embrassait mes mains et, lorsque nous fûmes arrivés dans l'île, se jeta à mes pieds, m'affirmant qu'il révérait ce sol que foulaient mes pieds, me suppliant de l'autoriser à les embrasser. Je me penchai vers lui, je l'embrassai sur ses cheveux bouclés, son front, ses yeux ; il me prit à la taille et cacha sa tête - devinez donc où ? Le voisinage de cet endroit vers lequel aspirent tous les hommes, bien que jalousement voilé de mousseline, de jupons et du rempart de drap de ma chemise, semblait l'enivrer ; il se saisit de ma main droite et la porta, sous son gilet, vers son cœur. Il battait, il cognait aussi fort que le mien ; mon genou droit se trouva en contact avec son pantalon, à un endroit où je rencontrai quelque chose de dur que mon genou fit encore durcir et grossir ; je crus que son pantalon, fort collant, allait éclater.

Il était onze heures, et nous étions encore dans l'île, enlacés, ma jambe droite par-dessus son genou. Il s'enhardit enfin à glisser sa main droite jusqu'au bord de ma robe, jouant en route avec les lacets de mes bottines, remontant ensuite jusqu'à ma jarretière, jusqu'à ce que sa main atteignît mes cuisses nues. Dès ce premier attouchement, je me sentis hors de moi. Nos lèvres se collèrent, je buvais les siennes et glissais ma langue entre ses dents, à la rencontre de sa langue. Je crus qu'il allait l'engloutir, tant il s'en régala.

Et je ne sais comment il se fit que j'eus soudain son sceptre entre mes doigts, le serrant à le rompre ; cependant, l'index de sa main droite avait atteint ma fente, et s'en amusait ; au sommet, elle était tout humide déjà, et ses jeux me rendaient comme folle.

L'instinct l'avait guidé, en ce jeu d'amour, et non l'habitude, car il m'avoua plus tard qu'il avait ignoré jusqu'alors la différence entre le carquois et la flèche d'amour. Tandis que, du pouce et de l'index, il se consacrait à mon bouton, ses trois autres doigts s'étaient fait un chemin plus bas, découvrant l'accès, tout ouvert et brûlant comme s'il eût contenu de la lave en feu.

Mes esprits chavirèrent, tant l'excitation était forte, et je dus fermer les yeux. C'est alors que j'aperçus sa verge, merveilleusement gonflée, se cabrant, semblable à la corne d'un taureau. Je n'avais pas encore touché la peau, mais j'en vis surgir le gland, fier et empourpré ; je sentis son frisson, puis une décharge électrique au creux de ma main quand elle effleura ce conduit par où se déverse le suc de vie. Comme un jet d'eau, il jaillit, laiteux, si bien que ma bouche, en quête d'air frais, reçut la décharge de ses reins. Au même instant, je me sentis également prête à déborder ; mon jet fut si copieux qu'il s'en remplit la main, comme s'il était allé puiser de l'eau à une source. Dégageant sa main de mes jupons, il la porta à ses lèvres et but tout ce qu'elle contenait, léchant encore sa paume et jusqu'aux replis entre ses doigts. Cela non plus, personne ne le lui avait enseigné ; la nature seule le guidait, dont il se laissait inspirer.

Après cette première éjaculation, il ne se trouva pas plus épuisé que moi-même, ravagée que j'étais d'un feu intérieur qui m'incitait à de nouvelles jouissances. Nous nous demandions apparemment, l'un et l'autre, comment procéder maintenant. Ma raison avait abdiqué, je ne tenais plus compte de rien. M'eût-on même dit que le déshonneur me guettait, que je risquais d'être engrossée, de mourir en accouchant, et même si des gens étaient survenus, que j'eusse vus en train de nous contempler, j'aurais continué ces jeux de l'amour, j'aurais proclamé ma félicité, sans éprouver nulle honte, tant j'étais devenue l'esclave de mes désirs, résolue à ne me point dérober à leur domination.

Cette extase se prolongea pendant plusieurs minutes, après l'instant de suprême volupté qu'avait provoqué notre double spasme. Nos désirs ne s'en trouvèrent point atténués ; chez moi, au contraire, ils s'affirmaient d'un instant à l'autre. Il en était de même pour lui. Mon regard allait de son visage à son dard, encore fièrement enflé, se portant ensuite sur le décor inanimé autour de nous, jusqu'à la surface des eaux paisibles, d'où surgissaient, çà et là, quelques broussailles. La lueur de la lune se reflétait sur l'eau qui, par endroits, semblait se rider quand un poisson y sautillait. Quelle volupté rafraîchissante que s'y baigner en compagnie d'Arpad ! J'étais bonne nageuse ; j'avais pris des leçons de natation à Francfort et j'aurais été capable de traverser dans toute leur largeur le Main ou même le Danube.

Arpad devina ma pensée et chuchota : « Veux-tu te baigner avec moi dans cet étang ? Il n'y a aucun danger ! À cette heure, personne ne passe plus ici. Les gens du restaurant dorment depuis belle lurette. »

Wilhelmine Schroeder-Devrient (1804-1860)

AVERTISSEMENT
JEU DRÔLE MAIS SALISSANT !
DANS LA MESURE DU POSSIBLE,
INSTALLEZ-VOUS SUR LA
TERRASSE, À PROXIMITÉ DU
TUYAU D'ARROSAGE. SINON,
PRÉVOYEZ UNE BONNE
DOUCHE À DEUX,
APRÈS L'EXERCICE.

DESCRIPTION

Vous êtes étudiante à l'école des Beaux-Arts. Vous avez lu sur une petite annonce que Charles, peintre réputé, recherchait un modèle, quelques heures par semaine. Vous êtes intéressée par cette offre qui vous permettra de gagner un peu d'argent de poche pour vous acheter du matériel. Vous avez contacté Charles par téléphone. Il vous a fixé rendez-vous chez lui pour une séance d'essai. Une amie vous a confié que l'homme était un peu... original.

DÉROULEMENT

L'artiste force le respect pour l'étudiante que vous êtes. Suivez docilement les instructions du peintre et servez-lui du « maître », quand vous lui adressez la parole, pour flatter son ego. Ça ne coûte pas cher et peut être décisif pour qu'il vous engage de façon régulière...

ACCESSOIRES

Pas de matériel particulier.

VARIATIONS

Nous avons proposé à votre partenaire une version littéraire de ce jeu. Pourquoi ne pas inverser les rôles pour cette nouvelle interprétation ?

ELLE : SOLANGE, LE MODÈLE

12 ▶ L'ATELIER DU PEINTRE

LUI : CHARLES, LE PEINTRE

DESCRIPTION

La blague est d'un goût douteux... Figurez-vous qu'un petit malin s'amuse, à votre insu, à déposer des morceaux de bois dans votre pelouse. Comme vous n'avez pas le temps de tondre régulièrement votre gazon, l'herbe est trop fournie pour que vous puissiez les distinguer. Et, fatalement, lorsqu'elle entre en contact avec les objets indésirables, votre tondeuse neuve pique une crise de convulsions avant de se noyer. Mais cette fois, vous tenez le responsable ! Vous l'avez vu commettre son forfait. Il s'agit de Bill, votre voisin, un type seul, légèrement dépressif mais plutôt joli garçon.

Jamais vous n'auriez pensé qu'il puisse s'adonner à de telles stupidités. Vous allez chez lui, bien décidée à lui montrer de quel bois vous vous chauffez.

DÉROULEMENT

Passer du registre de la colère à celui de la tendresse est un exercice enrichissant, parce qu'il permet une meilleure connaissance de soi et de l'autre. En outre, le fait de simuler, par le jeu, l'agressivité verbale et physique permet souvent d'acquérir des comportements plus adaptés dans la réalité. Vous entrez chez Bill et vous l'attaquez avec furie. Ne lésinez pas sur les insultes et les gestes menaçants. Ses actes sont intolérables. Vous ne pouvez pas laisser passer. Qu'il soit déséquilibré mentalement, dangereux ou crétin n'est pas votre problème. Il doit vous respecter, vous laisser vivre en paix, chez vous, sans faire incursion de quelque manière que ce soit dans votre vie privée. Après la phase de colère, redoucissez-vous et essayez de comprendre pourquoi votre voisin se livre à ce genre de pratique avec vous. Quel est le message caché ? Que cherche-t-il au juste ? Laissez ensuite votre partenaire prendre l'initiative du jeu.

VARIATION

Tout autre type de situation conflictuelle peut être mis en scène. Ce jeu, c'est-à-dire le schéma de comportements entre les deux, montre d'ailleurs que, comme bon nombre d'animaux, les êtres humains entrent en corps à corps dans deux situations bien spécifiques : l'amour et la lutte.

ACCESSOIRES

Pas d'accessoires.

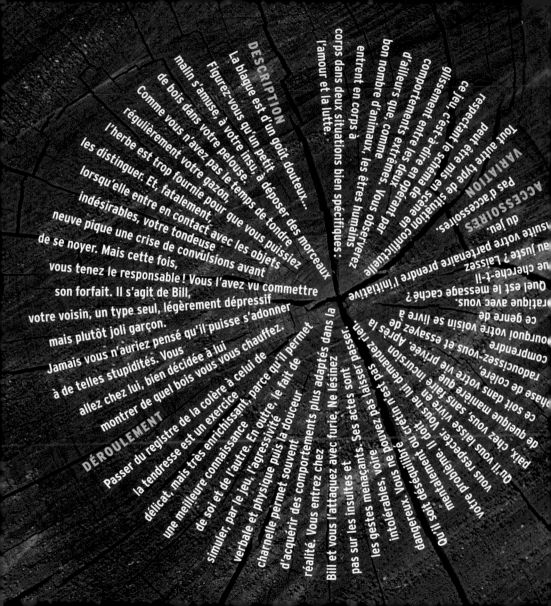

ELLE : SOPHIE

13 ▶ VOISIN-VOISINE

LUI : BILL VOTRE VOISIN

DESCRIPTION

Votre copine est partie en vacances pour une
quinzaine et vous a confié la garde de son magnifique
chien répondant au nom de Belzébuth. Vous faites connaissance
avec l'animal qu'elle vient de déposer chez vous. **DÉROULEMENT**
Vous n'êtes pas sans savoir que les chiens aiment les caresses sur le ventre,
les paroles gentilles et les morceaux de sucre. Ne négligez pas ces pratiques et
préparez une écuelle d'eau propre dans un angle de la cuisine. Faites visiter votre
appartement à Belzébuth que vous tiendrez en laisse. Flattez-le de temps en temps pour
le rassurer. Pour le reste, comportez-vous comme une maîtresse sévère mais juste : le petit
câlin sur le canapé, devant la télévision est accepté, ainsi que le nettoyage des oreilles, le
lèchement des orteils et autres douceurs canines. Vous pouvez également masser l'animal cou-
ché sur le tapis, avec vos pieds nus. Il adore ça ! En revanche, vous vous montrerez impitoyable,
si Belzébuth gratte le tapis, boulotte vos pantoufles ou les fils électriques de la chaîne hi-fi,
galope dans la salle de séjour ou hurle à la mort à deux heures du matin. Un petit coup de trique
sur le train arrière et des réprimandes lui rappelleront très vite les interdits. À vous de décider si
Belzébuth est autorisé ou non à dormir sur votre lit, à vos pieds, en fin de soirée. **ACCESSOIRES**
Prévoyez une laisse et un collier, ainsi qu'une écuelle d'eau propre que vous pouvez avan-
tageusement, pour la santé de votre animal, remplacer par un Bordeaux blanc bien frais.
VARIATION Nous pressentons qu'à la lecture de cette mise en scène, certains puritains
hypocrites ou réactionnaires s'offusqueront de la double perversion de ce jeu : sadomaso
et zoophile. Nous leur disons avec douceur mais fermeté que ce jeu est un jeu, que le
chien n'est pas un vrai chien, que chacun est libre d'aboyer comme bon lui semble,
sous réserve de ne pas importuner le voisinage et qu'enfin les chiens, lorsqu'ils sont heureux, agitent leur queue. Ce qui n'est pas donné à tout
le monde ! Selon votre inspiration du moment, vous pouvez
faire ce jeu en vous inspirant d'autres animaux : chat
de gouttière, rat, perroquet, iguane,
serpent...

ELLE : NATACHA

14 ▶ BELZÉBUTH

LUI : BELZÉBUTH, UN CHIEN

DESCRIPTION

Pour votre anniversaire, vos amis vous ont offert la grande traversée de huit jours, de Moscou à Vladivostok, à bord du célèbre Transsibérien. Vous en rêviez! Vous partagez votre compartiment avec plusieurs personnes, notamment Bertrand, un écrivain venu chercher l'inspiration pour son prochain livre. Vous appréciez tout particulièrement la compagnie de cet homme.

DÉROULEMENT

Au cours du voyage, le conducteur du train jette la panique à bord. Il vous annonce, au micro, une avarie grave de la motrice et une défaillance du système de freinage. La vitesse importante de votre convoi ne devrait pas lui permettre de résister à la prochaine grande courbe du tracé située à quinze minutes. Il vous demande, comme il est d'usage, de garder votre calme. La suite de l'histoire est entre les mains de votre partenaire.

ACCESSOIRES

Pas d'accessoires. La mise en place de ce jeu est un peu complexe car elle exige une bonne dose d'imagination pour se mettre dans l'état d'esprit d'une personne placée dans une situation désespérée.

VARIATIONS

Vous pouvez jouer cette scène à la maison, *in vivo* dans un train ou transposer cette aventure dans un avion en feu ou dans un bateau en perdition.

ELLE: JENNY, UNE TOURISTE SOLITAIRE

15 ▶ LA DERNIÈRE FOIS

LUI: BERTRAND, ÉCRIVAIN VOYAGEUR

DESCRIPTION

Nous proposons de jouer cette histoire en extérieur : dans un jardin ou dans une forêt, un jour de beau temps. Vous devez pouvoir vous allonger dans un taillis d'herbe ou dans la mousse, sans risquer d'être victime de la gourmandise des petites bêtes. Le thème de ce jeu est inspiré du conte de la Belle au bois dormant. La Belle, c'est vous ! Et votre Prince charmant va devoir faire preuve de la plus grande imagination pour parvenir à vous réveiller. Car vous ne sauriez évidemment vous satisfaire d'un simple baiser sur le front.

DÉROULEMENT

Abandonnez votre Prince charmant au détour d'un chemin et installez-vous confortablement dans un endroit agréable, si possible à l'abri des regards indiscrets. À moins que l'œil concupiscent d'un ramasseur de champignons ne stimule chez vous quelque penchant exhibitionniste. Tendre et attentionné, le Prince doit vous réveiller de manière agréable. Il est autorisé à vous effeuiller et à faire preuve de la plus grande imagination pour vous stimuler et faire monter votre désir. Essayez de rester de marbre le plus longtemps possible, le visage impassible. Respirez profondément pour conserver votre passivité et concentrez-vous sur ce que vous ressentez. L'issue de ce jeu vous appartient.

ACCESSOIRES

Comment vous imaginez-vous en princesse ? En robe légère ou en jupe longue ? Avec une paire de créoles, des bracelets, des ballerines à lanières ou des escarpins dorés ? Réfléchissez et rangez discrètement votre petit matériel dans votre sac. Il est important de jouer sur l'effet de surprise. Prévoyez également un drap de bain si vous avez la phobie des insectes.

VARIATIONS

Cette version polissonne de la Belle au bois dormant peut être jouée à la maison. L'idéal serait de pouvoir transformer votre lit en baldaquin et de doper vos plantes vertes à l'engrais liquide, pour donner l'impression que vous vous fondez dans la nature. Nous proposons pour les couples qui acceptent des activités plus torrides d'attacher le Prince ou la Princesse à un arbre ou d'attacher l'un ou l'autre à une branche basse. Voyez avec votre partenaire. Autre possibilité : la Belle au bois dormant peut, à son réveil, feindre l'émoi et s'enfuir dans la forêt pour une course-poursuite joyeuse et débridée.

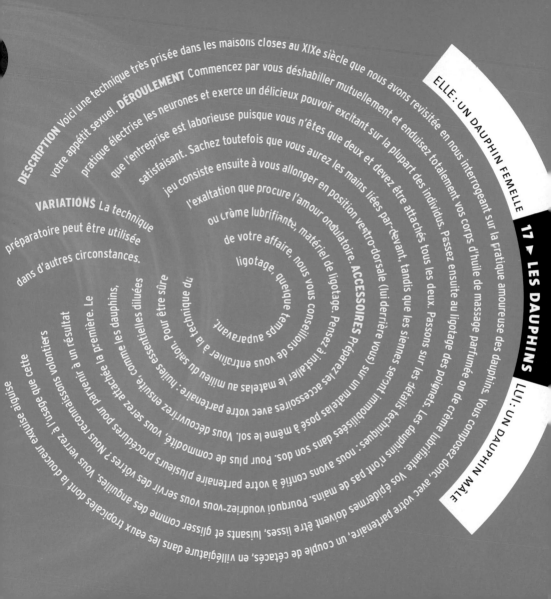

DESCRIPTION Voici une technique très prisée dans les maisons closes au XIXe siècle que nous avons revisitée en nous interrogeant sur la pratique amoureuse des dauphins. Vous composez donc, avec votre partenaire, un couple de cétacés, en villégiature dans les eaux tropicales dont la douceur exquise aiguise votre appétit sexuel.

DÉROULEMENT Commencez par vous déshabiller mutuellement et enduisez totalement vos corps d'huile de massage parfumée ou de crème lubrifiante. Vos épidermes doivent être lisses, luisants et glisser comme des anguilles. Vous verrez à l'usage que cette pratique électrise les neurones et exerce un délicieux pouvoir excitant sur la plupart des individus. Passez ensuite au ligotage des poignets : les dauphins n'ont pas de mains, pourquoi voudriez-vous vous servir des vôtres ? Nous reconnaissons volontiers que l'entreprise est laborieuse puisque vous n'êtes que deux et devez être attachés tous les deux. Passons sur les détails techniques : nous avons confié à votre partenaire plusieurs procédures pour parvenir à un résultat satisfaisant. Sachez toutefois que vous aurez les mains liées par-devant, tandis que les siennes seront immobilisées dans son dos. Pour plus de commodité, vous serez attachée pour la première. Le jeu consiste ensuite à vous allonger en position ventro-dorsale (lui derrière vous) sur un matelas posé à même le sol. Vous découvrirez ensuite, comme les dauphins, l'exaltation que procure l'amour ondulatoire.

ACCESSOIRES Préparez les accessoires avec votre partenaire : huiles essentielles diluées ou crème lubrifiante, matériel de ligotage. Pensez à installer le matelas au milieu du salon. Pour être sûre de votre affaire, nous vous conseillons de vous entraîner à la technique du ligotage, quelque temps auparavant.

VARIATIONS La technique préparatoire peut être utilisée dans d'autres circonstances.

DESCRIPTION

Que diriez-vous de jouer les jeunes filles impubères, un rien perverses, femmes-enfants au charme trouble et ensorcelant ? Nous vous proposons ce petit jeu érotique qui peut se suffire à lui-même ou servir de préliminaire à des activités plus torrides. Votre beau-père, Hubert, ressemble à un acteur que vous admirez, et il est loin d'être insensible à vos tentatives de séduction. D'ailleurs, à de multiples reprises, vous l'avez surpris lorgnant du côté de vos cuisses ou vous épiant sous la douche. Ce qui n'est pas pour vous déplaire... Vous êtes seule à la maison et il vous rejoint dans votre chambre.

DÉROULEMENT

Délurée, têtue, parfois vulgaire, dans cette mise en scène, vous jouerez tout en finesse sur les paradoxes, les stimulations sensuelles et les attitudes provocantes. Nous vous donnons, à titre indicatif, quelques pistes à explorer... Comme dans le livre de Nabokov, prétextez une poussière dans l'œil et demandez-lui de l'extraire au moyen de sa langue. Vous trouvez que vos genoux ont une odeur particulière... Faites-les lui sentir. Laissez à l'occasion entrevoir le triangle de votre petite culotte. Cette nuit un vilain moustique vous a piquée à la pointe du sein, mais vous n'avez pas trouvé la pommade. Il paraît que la salive est tout aussi efficace. Pourrait-il se charger de vous soigner ? Croquez avec sensualité dans un abricot, asseyez-vous sur ses genoux et proposez-lui de goûter un morceau du fruit que vous aurez extrait de votre bouche. Il vous propose une promenade, mais vous hésitez sur la façon de vous habiller. Procédez à un essayage sous ses yeux remplis de convoitise. Racontez-lui comment vous avez été initiée aux plaisirs saphiques ou demandez-lui de vous narrer une expérience amoureuse originale. Paradoxalement, s'il se comporte d'une manière que vous jugez indécente, mettez-vous en colère, insultez-le, traitez-le de vieux cochon, de satyre.

ACCESSOIRES

Habillez-vous en nymphette. Créez cette mise en scène à votre domicile et prévoyez les accessoires nécessaires aux activités qui éveillent vos désirs.

VARIATION

Ce jeu d'esquive et de séduction pourra se poursuivre par une promenade au cours de laquelle vous continuerez à interpréter les ingénues perverses. Vous pouvez aussi, d'un commun accord, décider de jouer plus longuement ces rôles : sur une journée, une semaine…

ELLE : LOLITA

18 ▶ LOLITA

LUI : HUBERT, LE BEAU-PÈRE

DESCRIPTION Vous êtes en vacan-
ces, seule, au bord de la mer. Le bonheur... Après
quelques heures de farniente, vous décidez de vous lancer à
l'assaut des flots... sur votre matelas pneumatique! Mais voilà qu'un
maître nageur, l'archétype du genre: maillot moulant et lunettes à verres
réfléchissants, s'avance vers vous. Pas mal, le garçon... Vous échangez quelques
mots. Désiré vous met en garde: la houle provoque des courants de surface qui entraî-
nent vers le large. Vous promettez de ne pas vous éloigner et de faire appel à lui en cas
de difficulté. **DÉROULEMENT** Et ce qui devait arriver se produit. Votre embarcation
dérive lentement vers le large. Vous avez beau battre des pieds, pagayer à pleines mains,
vos efforts restent vains. Vous faites de grands gestes pour attirer l'attention de votre sauveur. Mais voilà que votre matelas se dégonfle, à présent. Vous risquez de périr noyée. Heu-
reusement, Désiré a vu vos signaux de détresse. N'écoutant que son courage, il plonge dans
votre direction. Laissez le maître nageur vous rejoindre et pratiquer les gestes nécessaires.
Ne jouez pas l'effarouchée et participez activement aux ébats aquatiques. Les risques que
Désiré a pris pour vous secourir justifient bien quelques petites compensations. Vous ne
croyez pas? **ACCESSOIRES** Pratiquez ce jeu pendant vos vacances au soleil. Prévoyez un
matelas gonflable et un maillot de bain deux pièces pour faciliter la tâche de votre sauveur...
VARIATION Naturellement, ne faites pas ce jeu dans une mer froide ou démontée. Votre
souci de réalisme pourrait faire tourner l'affaire au vinaigre. En cas de mauvais temps,
rabattez-vous sur la piscine de l'hôtel où vous serez sans doute un peu plus limités dans
vos jeux, mais en sécurité. Contrairement à certaines idées reçues, faire l'amour dans
l'eau de mer ne présente aucun danger pour la santé et permet certaines figures
impossibles à réaliser sur la terre ferme. Toutefois, si la chose vous tracasse,
rien ne vous empêche de conclure sur une petite plage isolée, à l'abri
des regards indiscrets. Mais entre nous, l'eau de mer est de
loin préférable aux particules de sable qui se logent
avec facilité dans les endroits les plus
inattendus.

ELLE : TINA, UNE TOURISTE

19 ▶ SAUVETAGE

LUI : DÉSIRÉ LE MAÎTRE NAGEUR

DESCRIPTION

Vous êtes délaissée par votre mari qui voue une passion débordante... à ses activités professionnelles. Peu à peu, la monotonie s'est installée dans votre vie amoureuse et votre libido est en sommeil. Vous déplorez de ne plus connaître les montées de fièvre des amours naissantes.

Encore que... les choses ne sont pas irrémédiables. À la pause-café, dans l'entreprise où vous travaillez, vous avez rencontré Rémi. C'est un homme plaisant, séducteur, qui ne vous laisse pas insensible. Il est de surcroît doté d'un sens de l'humour qui ajoute à son charme. Rémi vous a fixé rendez-vous dans un bar pour un cinq à sept charmant. Vous avez décidé de vous y rendre.

DÉROULEMENT

L'une des forces du jeu de rôle repose sur le décalage qui existe entre les individus et les personnages qu'ils incarnent. Ainsi peut-on se lancer dans une nouvelle conquête de l'autre et redécouvrir les sensations d'une première rencontre, même après quarante ans de mariage !

Sirotez un verre en compagnie de Rémi, racontez-lui vos déboires amoureux et prêtez-vous de bonne grâce à son petit jeu de séduction. Son scénario s'arrête là... À vous de jouer !

Proposez une sortie avec votre voiture et filez sur les petites routes de campagne. Le coup de la panne est une spécialité masculine. Eh bien renversez l'ordre des choses ! Faites en sorte que votre moteur cale. Rangez votre véhicule sur le bas-côté et pendant que votre partenaire s'affaire sous le capot, coincez de vieux journaux dans les vitres, sur le pare-brise et la lunette arrière. Pâmez-vous de désir et pendant qu'il s'essuie les mains demandez-lui s'il connaît l'itinéraire pour le septième ciel.

Vous souhaiteriez vous rafraîchir la mémoire... Bloquez les ouvertures de la voiture, et commencez le grand jeu des caresses et des baisers. Comme il se doit pour une première rencontre, utilisez un préservatif avec lequel vous encapuchonnerez vous-même le sexe de Rémi.

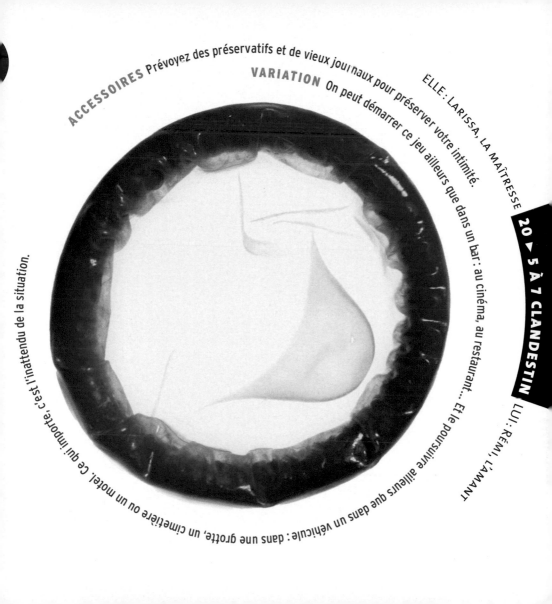

ACCESSOIRES Prévoyez des préservatifs et de vieux journaux pour préserver votre intimité.

VARIATION On peut démarrer ce jeu ailleurs que dans un bar: au cinéma, au restaurant.... Et le poursuivre ailleurs que dans un véhicule: dans une grotte, un cimetière ou un motel. Ce qui importe, c'est l'inattendu de la situation.

ELLE: LARISSA, LA MAÎTRESSE

LUI: RÉMI, L'AMANT

DESCRIPTION

Les caresses vous procurent une jouissance inouïe, spécialement lorsqu'elles vous sont prodiguées par votre esclave attitré, à l'aide d'objets divers. Vous n'êtes pas autorisée à entrer en contact physique avec lui, mais ce n'est pas un problème. Il se montre doux et attentionné pour vous conduire aux portes du désir. Vous l'avez convoqué dans vos appartements...

DÉROULEMENT

Déshabillez-vous pour ne conserver qu'un simple pagne et installez-vous à plat ventre sur une table recouverte de tissu. Bandez-vous correctement les yeux et attendez son arrivée. L'esclave n'a pas le droit de vous adresser la parole, mais vous pouvez en revanche lui donner des ordres sous forme de messages très brefs : « oui, c'est bien, encore, non, arrête, pas ça, plus haut, plus bas, plus fort, plus vite, plus doucement, en dedans, en dehors, etc. » Lorsque vous le jugerez opportun, intimez-lui d'arrêter et changez de position. Vous pouvez vous allonger sur le ventre, vous asseoir, vous accroupir. Vous êtes la maîtresse. Faites comme il vous plaît. Laissez votre pensée vagabonder, la conscience libre, sans complexes ni arrière-pensées négatives.

ELLE : LA SULTANE

21▶ LA SULTANE

LUI : L'ESCLAVE

ACCESSOIRES

Prévoyez un foulard ou un bandeau suffisamment opaques pour que vous ne puissiez pas voir votre partenaire. Le fait d'avoir le regard masqué décuple les sensations. Le lit n'est pas l'endroit idéal pour cette mise en scène. Mou, souvent trop bas pour que l'esclave puisse travailler dans de bonnes conditions, il vaut mieux lui préférer la table de la salle à manger. Si le fait d'organiser un repas de famille le dimanche qui suit sur cette même table ne vous pose pas problème... D'ailleurs rien n'indique que votre cousine Céline et son mari André n'ont pas acheté cet ouvrage et ne pratiquent la même chose au même endroit. Allez savoir !

VARIATIONS

Par principe, le jeu s'arrête là, les caresses reçues et le plaisir de celui qui les donne pouvant parfaitement se suffire à eux-mêmes. Mais si le coït revêt pour vous une importance primordiale, ne vous formalisez pas outre mesure. Procédez !

DESCRIPTION
Vous êtes un médecin sexologue confirmé.
Vous recevez dans votre cabinet Éric, un homme dans
la quarantaine qui souffre de troubles de l'érection. Votre parfaite
maîtrise de ce type de pathologie vous permet la majeure partie du temps
de régler le problème sans prescrire des hormones. C'est votre fierté !
Vous allez chercher votre patient en salle d'attente.

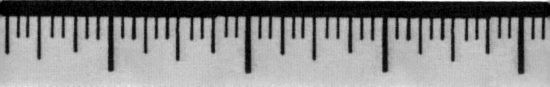

DÉROULEMENT Installez-vous derrière votre bureau et invitez Éric à s'asseoir en face de vous.
Demandez-lui de vous parler en détail de ses pratiques sexuelles. Rassurez-le en lui affirmant que la cause
de ce genre de difficulté est généralement d'ordre psychologique et que vous excellez dans l'art de trouver des solutions. Invitez votre patient à quitter son pantalon et faites-le asseoir face à un téléviseur. Pas-
sez-lui un morceau choisi d'une cassette vidéo X. Pendant ce temps, enfilez des gants médicaux. Allez
ensuite contrôler les effets produits par le film sur votre patient. Redonnez-lui confiance en lui assu-
rant que son état ne présente rien de dramatique. Consultez votre montre et dites à votre patient
que vous devez contrôler la durée de l'érection. Demandez-lui de quitter son sous-vêtement
et caressez-le, par exemple, en pétrissant doucement son sexe entre vos mains. Efforcez-
vous de conserver un langage médical pour faire vos observations. Dites que l'examen
clinique vous paraît très satisfaisant. Munissez-vous d'un préservatif et coiffez-
en calmement le sexe de votre patient. Expliquez-lui qu'il s'agit d'une
mesure d'hygiène. Vous souhaitez à présent voir comment il réagit
aux stimulations sensorielles : engagez des caresses buc-
cales voluptueuses et finissez comme bon
vous semble...

ACCESSOIRES À prévoir :
une blouse blanche et des lunettes pour
vous, une cassette vidéo pornographique, des gants
médicaux en caoutchouc, une montre, un préservatif. **VARIATION**
Cette mise en scène accepte de nombreuses variantes : vous pouvez
jouer au docteur de façon plus enfantine, faire allonger votre patient sur une
table et l'examiner sous toutes les coutures, feindre de lui faire des injections, etc.

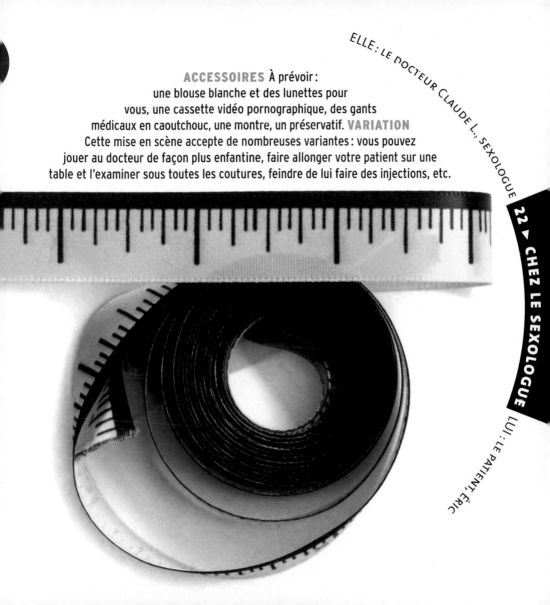

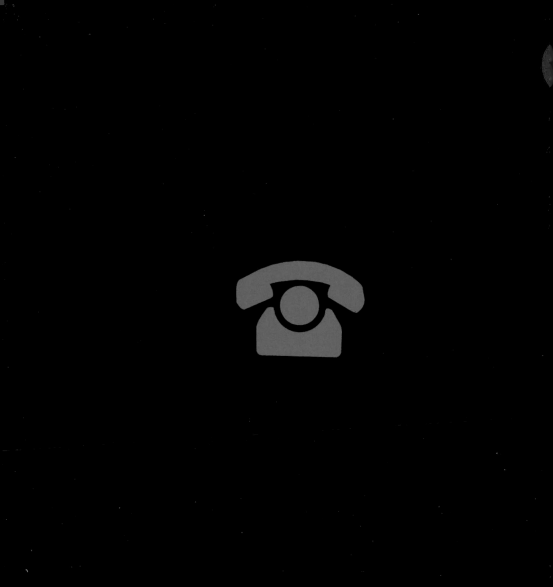

DESCRIPTION

À partir du moment où vous avez acheté ce livre et l'avez mis entre les mains de votre partenaire, vous ne saurez ni où, ni comment, ni quand ce jeu va se dérouler.

Peut-être tout à l'heure, demain ou la semaine prochaine...

Tout ce que nous vous demandons, c'est de respecter le principe fondateur de nos scénarios : ne pas aller reluquer dans les pages de votre complice pour voir de quoi il retourne. La curiosité n'est pas de mise. Vous aimez les surprises ? Alors pas d'indélicatesse s'il vous plaît !

DÉROULE-
MENT Avez-vous bien saisi ce que nous avons écrit plus haut ? ACCESSOIRES Pas d'accessoires. VARI-ATIONS Sans objet.

DESCRIPTION Pas une seconde à perdre ! Vous n'avez que deux minutes pour faire l'amour avec Oscar. Peu importe l'heure et l'endroit. Évitez quand même les scènes en public. Le mieux étant de ne pas en parler pour vous épargner des démêlés avec la justice. Vous devez ressentir tous les deux une attirance mutuelle très forte et simultanée. Prévoyez un code gestuel pour solliciter votre partenaire au moment opportun ou attendez qu'il vous donne le signal. Le « deux minutes » vous renvoie directement à la case sexe. Le désir doit être pressant, fougueux et l'envie réciproque. Si le coït intégral vous paraît un peu audacieux, en tout cas au début, tenez-vous à des activités de travail manuel. C'est plus sécurisant. L'amour en position debout est à peu près la seule solution qui s'offre à vous pour le « deux minutes ». Appuyez-vous contre une paroi ou faites-vous porter par votre partenaire, vos jambes enserrant sa taille. Parfois, l'environnement vous offrira d'autres possibilités (montées d'escalier, banc, cuvette sanitaire). À vous de les exploiter. **ACCESSOIRES** Ce jeu n'implique aucun accessoire particulier. Évitez toutefois les jeans moulants qui nécessitent un outillage spécifique pour être défaits rapidement et posent des problèmes au renfilage, ainsi que les collants. Les robes longues sont également à déconseiller. À moins que vous ne souhaitiez vous transformer en abat-jour pour l'occasion !

DÉROULEMENT Ne passez pas par les phases préliminaires.

VARIATIONS

Le « deux minutes » peut se pratiquer à peu près partout : dans un parking, un ascenseur, des escaliers, des toilettes, une cabine d'essayage. Plus c'est varié, plus c'est drôle. Et plus le risque de se faire surprendre est grand, plus le désir et l'impétuosité sont intenses. Évitez quand même de vous faire découvrir et apprenez à vous rajuster comme si de rien était.

DESCRIPTION

Professeur à l'université, vous dirigez un laboratoire de recherche scientifique. Vous avez proposé à vos étudiants de participer à des tests sensoriels contre cent dollars. Les candidats sont légion, mais vous ne leur avez pas détaillé la nature de ces tests. Vous recevez le premier, un jeune homme timide...

DÉROULEMENT

Exposez-lui brièvement les règles du jeu : les étudiants doivent être soumis et dociles et se prêter à l'expérience en répondant de la façon la plus objective possible aux questions qui leur sont posées. Dans cette mise en scène, adoptez un comportement autoritaire. L'odorat et le goût sont, de nos sens, les plus archaïques. Commencez par les parfums. Ouvrez votre blouse, déposez une touche de trois arômes à différents endroits de votre corps et faites-vous flairer par le jeune homme. Demandez-lui de noter sur une feuille de quelles senteurs il s'agissait. Bandez-lui ensuite les yeux et faites-lui goûter trois fruits placés dans votre bouche, votre nombril et votre vallée des merveilles. Allongez-vous et guidez fermement sa tête avec vos mains afin qu'il identifie les fruits consommés. Les yeux toujours bandés, l'étudiant doit ensuite reconnaître les parties de votre corps que sa main visite brièvement. Murmurez-lui maintenant quelques phrases crues dont vous avez le secret dans le creux de l'oreille. Demandez-lui laquelle emporte sa préférence. Ôtez-lui son bandeau et appréciez ses réactions aux stimuli visuels. Donnez-lui à voir quelque endroit secret. Voilà, l'expérience est terminée. Les tests sont-ils positifs ? Oui ? Peut-être pouvez-vous alors envisager un dédommagement en nature pour votre cobaye... Non ? Ne croyez-vous pas qu'il mérite une punition ? Demandez-lui de quitter son pantalon et son caleçon et administrez-lui une petite correction. La prochaine fois, il travaillera avec un peu plus de sérieux !

ELLE : LUCETTE, PROFESSEUR DE PSYCHOLOGIE CLINIQUE

25 ▼ TESTS SENSORIELS

LUI : L'UN DE VOS ÉTUDIANTS

ACCESSOIRES

Portez une simple blouse blanche
et préparez le matériel nécessaire :
petits fruits, parfums, feuille de papier,
stylo, badine au cas où...

VARIATION

Ce jeu vous révèle un certain nombre
d'informations sur la sexualité, les attentes
et les goûts de votre partenaire. Amusez-vous
à créer d'autres situations dans lesquelles
vous pourrez poursuivre l'exploration.

DESCRIPTION

Ce matin, vous avez malencontreuse-
ment culbuté une statuette de la Sainte Vierge
en jouant dans la sacristie. Sœur Marie-Bernadette des
Églantines vous a surprise et dénoncée au Père Version.
Vous avez cru comprendre que celui-ci n'était pas content du tout.
D'ailleurs, il vous a convoquée dans son bureau. Vous avez le sentiment
que vous allez passer un sale quart d'heure. Vous frappez.

DÉROULEMENT

Quand il vous le demandera, expliquez ce qui s'est passé au Père Version
(inventez) et insistez bien sur le fait qu'il s'agit d'une maladresse. Évitez de
le regarder dans les yeux. Ayez l'air désolé. Repentez-vous en baissant la tête.
Confondez-vous en excuses. N'hésitez pas à en faire des tonnes pour éviter
le châtiment. Vous pouvez même, si vous vous en sentez capable, fondre en
larmes. De toute façon, soumettez-vous aux caprices du Père : vous avez
fait une sottise, vous devez en assumer les conséquences.

ACCESSOIRES

Portez une jupe.

VARIATIONS

Dans ce jeu, vous pouvez aussi choisir d'être effrontée
ou carrément aguicheuse pour minimiser
la punition, qu'à son corps défendant,
le Père va devoir vous infliger.

DESCRIPTION

Nous sommes au XVIIIe siècle,
dans votre gentilhommière.
Vous avez remarqué un jeune garçon
fort charmant et déjà presque un homme :
Édouard, le fils de votre jardinier.
Comme vous êtes une maîtresse sensuelle
d'expérience, vous souhaitez initier
ce délicieux petit puceau aux jeux
de l'amour. Vous invitez Édouard
à vous rejoindre dans
votre chambre...

DÉROULEMENT

Prenez des initiatives ! Dans ce jeu, c'est vous qui dirigez les opérations avec tact, mais fermeté. Vous êtes le professeur, lui l'élève... Et il ne demande qu'à apprendre. Faites preuve d'un peu de pédagogie et de compassion pour guider Édouard dans cette première expérience. Faites entrer le garçon dans votre chambre et demandez-lui de grimper sur un tabouret pour vérifier ce fichu rideau qui se décroche régulièrement. Approchez-vous de lui et passez votre main entre ses cuisses pour le soutenir. Vous pouvez le caresser, l'effleurer lentement avant de le dégrafer d'un geste sûr et déterminé. Dites-lui, par exemple, que vous voulez savoir s'il est prêt à devenir un homme. Vous pouvez ensuite lui donner un baiser génital ou continuer à le caresser en faisant glisser son pantalon. S'il parle, demandez-lui de se taire. Ordonnez-lui de descendre du tabouret et déshabillez-le

entièrement. Proposez-lui de s'allonger sur le dos, sur votre lit, et liez-lui les poignets et les chevilles. Offrez-lui ensuite un *strip-tease* voluptueux avant de venir au-dessus de lui pour le caresser avec vos cheveux, votre bouche, la pointe de vos seins, vos doigts. Prenez votre temps et concluez comme vous le souhaitez.

ACCESSOIRES

Quelques accessoires à prévoir pour ce jeu : un tabouret, un lit et un rideau décroché Prévoyez également de quoi ligoter votre perdreau : rubans de tissu, grands foulards ou lanières feront l'affaire.

VARIATIONS

Le ligotage érotique encore appelé bondage dans les pratiques sadomasochistes nécessite un peu d'adresse dans l'art des nœuds et beaucoup de tendresse pour éviter de faire souffrir le partenaire. Pour ce rituel de passage classique, des variantes sont possibles : vous pouvez faire découvrir votre corps au jeune garçon, lui apprendre à vous caresser ou encore partager le bain avec lui. Vous pouvez aussi vous en tenir à un flirt poussé et fixer une autre rencontre.

DESCRIPTION

Vous êtes seule dans votre appartement ou dans votre maison. On sonne à la porte. Vous ouvrez, sans méfiance, et un cambrioleur fait irruption dans votre domicile. Vous allez comprendre très vite que ses intentions sont plus que malhonnêtes. Mais avez-vous vraiment le choix ? Il est armé et semble davantage intéressé par votre personne que par vos estampes japonaises et votre argenterie.

DÉROULEMENT

Cette situation vous place dans une situation de victime entièrement soumise aux désirs de votre agresseur. Vous cédez à ses injonctions, mais à contrecœur. Vous êtes désemparée et vous tentez d'opposer une résistance passive à ses coupables desseins.

S'il se montrait habile à réveiller vos sens, vous pourriez être amenée à revoir votre position...

ACCESSOIRES

Pas d'accessoires particuliers.

VARIATIONS

Voici une version à suspense, souvent plus exaltante pour les joueurs : le cambrioleur s'introduit incognito dans votre domicile. Quelle écervelée ! Vous avez encore oublié de fermer une fenêtre ou la porte d'entrée. Votre agresseur n'allume pas la lumière, mais vous l'entendez fouiller longuement la maison. Vous avez peur qu'il vous surprenne dans le halo de sa lampe de poche. Vous êtes terrifiée. Vous vous dissimulez dans un endroit où vous pensez qu'il n'ira pas vous chercher... Il est possible de jouer cette scène de viol de façon très brutale, sans préliminaire. Nous n'avons pas de remarque à faire, si les deux partenaires sont entièrement d'accord sur ce principe et confiants dans la tendresse de l'autre qui sait jusqu'où ne pas aller trop loin. Ne vous mettez pas à hurler lorsque l'agresseur sonne à votre porte. Inutile d'ameuter le quartier. Évitez également de vous prendre au jeu et d'assommer votre compagnon à grands coups de rouleaux à pâtisserie. Encore une fois, c'est d'un jeu dont il s'agit ! Gardez bien cette idée en tête.

ELLE : LA VICTIME **28 ▶ FRIC-FRAC** LUI : LE CAMBRIOLEUR

AVERTISSEMENT Jeu torride !
Ne vous lancez pas dans cette mise en
scène avec un compagnon cardiaque, fragile psy-
chologiquement ou manquant de résistance physique car
vous allez lui infliger une excitation coefficient 7 sur l'échelle
de Richter. **DESCRIPTION** Ancien pilote, votre mari Stanislas a
perdu l'usage de ses membres inférieurs et sa virilité. Mais vous
savez qu'il apprécie tout particulièrement le spectacle que vous lui
offrez de temps à autre. **DÉROULEMENT** La réussite de ce jeu émou-
vant repose sur votre capacité à vous autostimuler manuellement. Éprouvez-
vous un plaisir réel à vous caresser ? Vous sentez-vous suffisamment à
l'aise pour cette pratique ? Dans le doute, remettez ce jeu à plus tard.
Choisissez un endroit confortable. Demandez à votre mari de s'asseoir
sur une chaise et attachez-lui solidement les bras et les chevilles.
Il ne doit pas pouvoir se libérer. Déshabillez-vous pour ne conserver qu'une chemise et votre culotte. Caressez lentement vos
seins... Ensuite, installez-vous sur le lit ou le canapé et
choisissez une position qui vous convienne : ados-
sée contre la tête du lit, jambes écartées,
ou encore agenouillée...

Commencez votre explora-
tion d'abord à travers le tissu de votre
sous-vêtement. Agissez comme bon vous semble,
mais toujours avec lenteur et lascivité. Vous pouvez fermer les yeux, gémir si vous en avez envie, changer de position...
Prenez votre temps. Glissez ensuite un doigt dans l'entrejambe.
Au besoin, faites glisser votre slip et éjectez-le avant de poursuivre. À vous de juger si vous souhaitez ou non prolonger jusqu'à l'or-
gasme. Jetez tout de même un coup d'œil, de temps en temps, à votre
partenaire pour éviter qu'il ne se transforme en missile sol-air. Il serait
d'ailleurs très aimable de votre part de pratiquer un désamorçage qu'il
ne peut matériellement pas assumer lui-même. **ACCESSOIRES** Prévoyez une chaise et des bandelettes de tissu qui n'écorchent pas la
peau. Si l'usage des liens vous refroidit, faites sans. Mais les effets
produits seront sans doute un peu moins excitants **VARIANTE** Si
vous pensez que votre camarade de jeu ne supportera pas
d'être attaché, vous pouvez lui proposer de vous observer
par le trou de la serrure. Mais trois conseils, restez
dans son champ de vision, fermez la porte à
clé et ôtez la clé de la serrure.

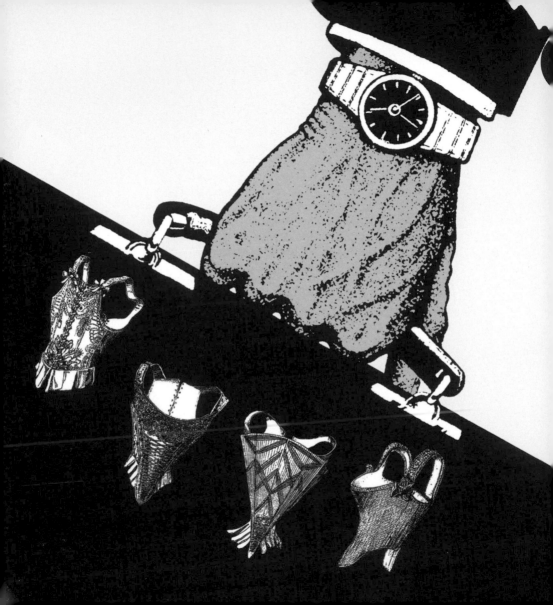

DESCRIPTION

On est en début d'après-midi. Vous êtes seule chez vous et vous n'avez rien prévu de spécial. On sonne à votre porte. Vous ouvrez avec prudence car vous n'avez pas pour habitude de laisser rentrer des inconnus. Surtout quand votre mari n'est pas là. Pourtant, comme vous aimez l'imprévu, et qu'à première vue l'homme ne vous laisse pas indifférente, vous acceptez que votre visiteur vous suive jusqu'au salon.

DÉROULEMENT Vouvoyez votre visiteur. Invitez-le à s'asseoir dans le canapé, écoutez-le et répondez à ses questions avec humour, en le regardant droit dans les yeux. Si vous êtes d'un naturel souriant, laissez faire votre naturel. N'oublions pas que vous êtes chez vous ; c'est vous qui menez la danse. Proposez de prendre un café et déposez vous-même le nombre de sucres dans la tasse de l'homme. Si vous êtes disposée à jouer les lutines, vous pouvez envoyer un certain nombre de signes à votre visiteur pour lui montrer qu'il ne vous laisse pas insensible : gardez avec suavité votre cuillère à café entre les lèvres, papillonnez du regard, laissez apparaître quelques centimètres carrés de peau bien placés. À vous de voir ! Sans doute avez-vous vos propres secrets pour séduire. Alors faites-en bon usage !

ACCESSOIRES Un brin d'audace et de fantaisie côté vestimentaire, quelques bijoux colorés et vous aurez gagné la partie ! Fouinez dans vos armoires, écumez les grands magasins ou les catalogues de vente par correspondance pour dénicher un chemisier qui dévoile vos charmes, un top chatoyant à fleur de peau, une jupe courte qui épouse vos formes... En tout cas planquez vos pantoufles défraîchies, votre robe d'intérieur en maille polaire ou votre jogging informe. Et prévoyez le café !

VARIATIONS Dans ce scénario, c'est vous qui donnez les réponses. Vous pouvez donc choisir de jouer sur des registres plus marqués : celui de la femme froide et autoritaire, mais qui accepte quand même de jouer le jeu (cela peut-être très excitant surtout s'il ne s'agit pas d'un rôle de composition !), celui de la femme timide, un peu coincée ou carrément celui de l'aguicheuse, un brin vulgaire. En amour, tout est bon !

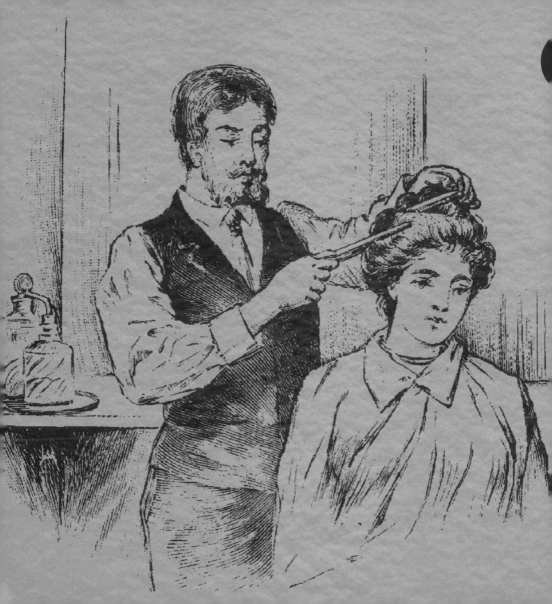

DESCRIPTION

Ce matin, vous avez rendez-vous à votre domicile avec Edgar, coiffeur itinérant de son état. Vous avez pris votre bain aux huiles essentielles et vous l'attendez en peignoir en feuilletant un magazine.

DÉROULEMENT

Nous supposons que, comme la plupart des femmes, vous n'êtes pas insensible aux caresses du cuir chevelu. Shampoing, massages, coiffage et attentions diverses vous procurent sans nul doute une détente mentale et corporelle à nulle autre pareille. C'est ce à quoi va s'employer Edgar. Nous espérons qu'il saura faire preuve de douceur et d'habileté. Si tel n'était pas le cas, malgré les conseils que nous lui avons donnés, dites-lui clairement ce qui vous ferait plaisir et signalez tout désagrément. Cela lui permettra d'améliorer sa performance.

ACCESSOIRES

Edgar se charge de préparer son matériel.

VARIATIONS

Nous proposons une version hot de ce jeu, avec rasage de votre duvet pubien. On aime ou l'on n'aime pas. Mais en acceptant, vous lui procureriez un plaisir indéniable qui n'aurait peut-être d'égal... que le vôtre. Reste à savoir si vous êtes prête à accepter cette mise à nu de vos vallées et collines. Nous ne pouvons faire ce choix à votre place. Nous devons toutefois vous informer qu'à la repousse des poils, l'effet peau de hérisson a vraiment du piquant !

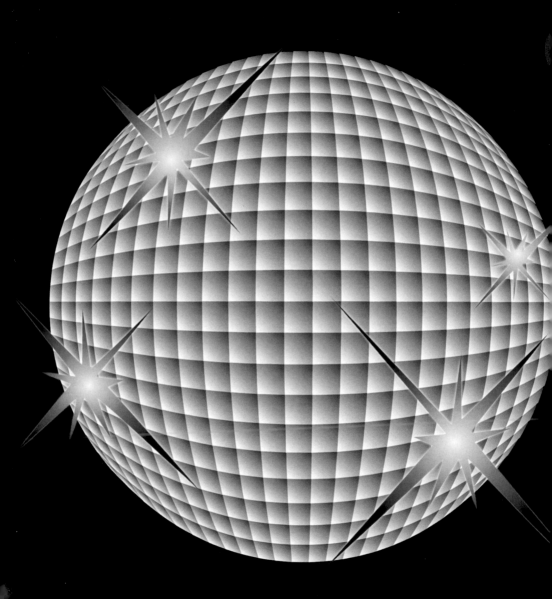

DESCRIPTION Canaries, les îles du prin-
temps éternel. Vous avez pris une semaine de vacances
dans un club hôtel, seule, bien décidée à profiter pleinement de la vie.
Vous avez passé la nuit à danser dans la discothèque. Au petit jour, les vacan-
ciers ont déserté la piste de danse et le disc-jockey s'est endormi derrière ses platines.
Vous restez seul avec un homme que vous ne connaissez pas, mais qui n'a rien pour vous
déplaire. **DÉROULEMENT** La musique vous enivre. Quel bonheur ce morceau de Santana ! L'homme
se rapproche de vous pour que vous lui accordiez ce slow ? Vous acceptez, mais la danse se transforme
très vite en étreinte charnelle et vous ne tardez pas à sentir que ses intentions deviennent plus fermes.
Accueillez ses caresses et ses baisers avec fougue et rendez-lui la politesse. Minaudez, battez des cils, arron-
dissez vos gestes et surtout, fixez-le avec un regard intense qui en dit long sur vos inclinations. Sans cesser de
danser l'un contre l'autre, commencez ensuite un déshabillage mutuel très suave. Procédez lentement, d'une main
experte, en faisant des pauses de temps à autre. Ce jeu procure en général des sensations très originales...
Vous avez parachuté votre petite culotte dans les airs de la pointe du pied. Vous voilà en tenue d'Ève ! Continuez
à danser, frôler, griffer, mordiller, jusqu'à ce que votre partenaire soit sur le point de craquer. Vous devrez adopter
une position debout adéquate, en fonction de votre taille et de celle de votre partenaire, pour la pénétration. Cela
nécessite parfois un peu de gymnastique ! Passez vos bras autour du cou de votre partenaire et pendez-vous à lui,
vos jambes enserrant sa taille. Il continuera à danser languissamment pendant le coït. Si votre compagnon se plaint
de courbatures, ne lui jetez pas la pierre. Vous êtes peut-être trop lourde pour ses petites biscottes. Inventez autre
chose sans en faire une montagne. **ACCESSOIRES** Si vous êtes femme de lettres et de petite taille, vous pouvez
utiliser quelques volumes de l'Encyclopedia Universalis pour être à la hauteur. Abstenez-vous de pratiquer totalement ce jeu dans un établissement qui accueille un public non averti. Vous pourriez avoir quelques soucis avec la
direction. Terminez au vestiaire, derrière une colonne de vêtements, dans les toilettes, si vous n'êtes pas
importunés par cette pratique, ou dans la voiture. Le domicile conjugal reste un endroit sûr et confortable
pour ce jeu. Soignez l'ambiance ! Programmez quatre ou cinq morceaux du même genre sur votre
lecteur de CD. Un seul suffirait tout juste à bâcler le jeu. Ce qui serait vraiment dommage.
VARIATIONS Pour renforcer l'émotion, il est important d'agir comme si vous étiez des
étrangers l'un pour l'autre. Apprendre en permanence à se redécouvrir est l'un des
éléments essentiels pour une sexualité accomplie. Vous pouvez faire monter la
fièvre en vous séparant de temps à autre de votre partenaire pour
danser seule et lui offrir le spectacle de votre corps nu,
doucement porté par la musique.

ELLE : UNE TOURISTE

32 ▶ DANSEZ MAINTENANT

LUI : UN TOURISTE

DESCRIPTION

Vous êtes très amoureuse de votre compagnon, Amédée. Pas de chance, celui-ci est en prison depuis trois ans, à plusieurs centaines de kilomètres de votre domicile. Et au mieux, il lui reste encore deux années à tirer. Vos impératifs professionnels ainsi que l'éloignement de la maison d'arrêt restreignent vos possibilités de lui rendre visite. Qu'importe. Vous êtes une femme fidèle et déterminée. Aujourd'hui, vous rendez visite à Amédée. Vous l'attendez dans le parloir avec le secret espoir qu'il aura pu négocier avec le surveillant quelques minutes d'intimité pour votre couple. Vous n'avez pas fait l'amour depuis deux mois et votre corps brûle de désir pour Amédée...

DÉROULEMENT

Il entre et vous vous levez vers lui. Laissez-le vous enlacer et jouer avec votre désir, mais n'oubliez pas que l'heure tourne. Vous souhaitez arriver à conclure avant que le gardien ne prononce la fin de la visite. Faites-vous chatte, mais n'attendez pas l'heure du thé pour passer à l'action et stimuler votre partenaire. Son pantalon de détenu ne devrait pas présenter d'obstacle majeur à l'intrusion de votre main experte. Laissez-vous guider par votre intuition avant de vous laisser guider vers des jeux plus engageants...

ACCESSOIRES

Vous souhaitez faire plaisir à Amédée. Et puisqu'il est à l'ombre, ne jugez-vous pas préférable de vous présenter sous votre meilleur jour ? Soignez votre maquillage, mettez du rouge à vos lèvres et habillez-vous comme une vraie séductrice. Sachez que les boucles d'oreilles et les bijoux étincelants sont de puissants stimulants sexuels pour l'homme. Pour faire l'amour dans un parloir, il vaut mieux porter un haut facilement dégrafable, ainsi qu'une jupe, pourquoi pas mini ? Vous pouvez aussi jouer l'effet de surprise avec des sous-vêtements coquins, balconnet, culotte en plumetis, cache-sexe, bas à jarretières. Ou pas de sous-vêtements... À vous de voir ce qui lui convient. Nous proposons de jouer cette scène dans une pièce où vous n'auriez à votre disposition qu'une table et deux chaises. Voyez avec lui quel est l'endroit de la maison qui correspond le mieux à cette austérité dans le décor.

VARIATIONS

Nous avons confié à votre partenaire plusieurs possibilités pour faire l'amour dans un parloir. Le mieux est peut-être de lui laisser l'initiative. Vous avez tellement envie de lui faire plaisir !

DESCRIPTION

La scène se passe à Paris, dans le quartier Pigalle. Vous êtes seule dans le bar où vous faites des extras. Un inconnu pousse la porte. Vous l'accueillez comme il se doit.

DÉROULEMENT

Échangez quelques mots avec votre visiteur. Servez-lui un verre et n'hésitez pas à être très suggestive dans vos déplacements et dans vos gestes. Battez des paupières en lui parlant, passez votre langue sur vos lèvres... Mais surtout ne vous approchez pas trop près de lui. Dites-lui que vous avez créé un numéro de cabaret et que vous aimeriez recueillir son avis personnel sur la qualité de ce spectacle. C'est un service que vous lui demandez. Accepte-t-il ? Jouez sur l'effet de surprise, lancez la musique et démarrez votre effeuillage, puisque c'est de cela qu'il s'agit. Vous pouvez effectuer votre strip, pieds nus sur la table du salon, mais tenez-vous hors de portée de votre partenaire dans un premier temps. N'allez pas trop vite. Faites des pauses dans le déshabillage et laissez-vous porter par la musique, languissante.

Allumez-le au maximum, ce client ! Vous êtes maintenant nue comme un ver. Continuez à suivre le rythme. Quand vous verrez que le feu couve dans le regard de votre partenaire, approchez-vous et asseyez-vous, face à lui, sur ses cuisses. Placez votre poitrine à portée de sa bouche et rejetez la tête en arrière. Il devrait comprendre le message... Vous pouvez ensuite dégrafer son pantalon pour juger de la qualité de votre spectacle. En principe, il ne devrait pas y avoir de problème de ce côté-là. Continuez comme bon vous semble.

ACCESSOIRES

Choisissez une musique sensuelle sur laquelle vous aimez danser en temps normal. Rien ne vous oblige à utiliser les morceaux habituels du strip. Essayez certains titres de Stan Getz. Le saxophone réveille les sens. Transformez votre salon en club privé et soignez tout particulièrement l'éclairage qui doit être doux et discret. Vous pouvez utiliser des bougies qui donnent une lumière émouvante qu'à titre personnel nous apprécions beaucoup. Côté vestimentaire, n'hésitez pas à porter une robe sexy, très courte et des sous-vêtements affriolants.

VARIATION

Numéro archi connu devenu un classique des jeux de salon, le strip-tease a toujours la cote chez les messieurs, mais l'inversion des rôles révèle parfois des surprises amusantes.

DESCRIPTION

Devenir actrice... Vous caressez
ce projet depuis très longtemps sans vous
être jamais donné les moyens de le réaliser. Aussi,
quand on vous a remis ce prospectus, à la sortie du
métro : « Vous rêvez d'être une star de cinéma ? Joignez-
vous à une équipe qui grimpe ! » votre sang n'a fait qu'un tour.
Vous vous êtes précipitée dans une cabine téléphonique pour
appeler au numéro indiqué et prendre au plus vite rendez-vous
avec le directeur de casting. Vous allez à l'heure dite au lieu fixé
pour la sélection. **DÉROULEMENT** Vous comprendrez très vite que
les préoccupations professionnelles de M. Arthur n'entretiennent
que de très lointains rapports avec le septième art. Mais est-ce bien
un problème ? Pourquoi ne pas tenter l'expérience ? D'autres avant
vous s'y sont risquées. Toutes n'ont pas l'air de l'avoir regretté.
D'ailleurs, ce bout d'essai ne vous engage en rien et vous n'êtes
pas obligée d'aller crier sur les toits que vous avez parti-
cipé à ce casting. **ACCESSOIRES** Pas d'accessoires
à prévoir. Habillez-vous avec goût. Voulez-vous,
oui ou non, le réussir, ce casting ? **VARIA-
TION** Drôlerie assurée : inversez les
rôles à l'occasion !

DESCRIPTION

Votre chéri vous abandonne pour une
période de six mois, appelé à l'étranger
par ses obligations professionnelles. Vous l'avez
accompagné à l'aéroport. Il ne vous reste qu'une heure
pour déjeuner ensemble et faire l'amour une dernière
fois avant son décollage. Mais par manque de temps,
vous avez décidé de combiner les deux activités.
C'est-à-dire que vous vous adresserez des signaux tendres
et érotiques sans entrer en contact l'un avec l'autre.

DÉROULEMENT

Réussir ce jeu dès la première
tentative serait l'indice d'un
couple parfaitement accompli.
Ne vous affolez pas si vos débuts
ne sont pas franchement
probants. La plénitude et
l'épanouissement du couple ne
sont pas des préalables tombés
du ciel, mais des musiques que
l'on compose à deux. Il faut savoir
se donner du temps, s'exercer, développer une meilleure
compréhension de l'autre. Le principe de ce jeu est le suivant :
vous devez éveiller le trouble et le désir de votre amant
à distance. Pour cela, vous utiliserez essentiellement
la communication non verbale : démarche, postures,
gestuelle, regards, inflexions de la voix. Seul votre
partenaire doit être capable de traduire ces signaux
de manière univoque. Le jeu est réussi lorsque
vos messages provoquent chez lui des
réactions physiologiques : chaleur,

accélération du rythme cardiaque,
érection. Il s'agit d'un exercice difficile
qui repose sur un savant dosage de sugges-
tions. Évitez d'en faire trop, d'être trop explicite ou
de franchir les limites de la vulgarité. Pratiqué sans
délicatesse, ce jeu tourne très vite à la bouffonnerie.
Utilisez des comportements qui vous sont personnels :
mouvement de la main dans les cheveux, passage de la
langue sur les lèvres, sourires, regards profonds, battements
des paupières, manière de consommer
les aliments, etc. À vous de voir
ce qui émeut votre amant !

ACCESSOIRES
Pas d'accessoires particuliers.

VARIATION
Nous avons placé ce jeu dans un contexte d'urgence et de
séparation. Mais rien ne vous empêche de le pratiquer dans
n'importe quelle autre situation de la vie sociale. Il est
important toutefois que vous soyez entourés d'un
certain nombre de personnes et que nul ne soit en
mesure de décoder vos signaux. Avec un peu
d'entraînement, vous constaterez que ce
jeu sensuel est vraiment étonnant !

L'amour ressemble
aux escargots cuisinés
à la française.
Ce qui compte, ce n'est pas
le petit gastéropode
racorni par la cuisson,
mais la préparation
qui l'accompagne :
beurre, ail, échalote,
sel, aromates...
Si cette métaphore cadre
avec votre vision des choses,
alors vous êtes disposés
à créer vous-même
vos propres jeux de rôle.
L'exercice nécessite
toutefois quelques
informations formelles.

JUSQU'OÙ NE PAS ALLER TROP LOIN ?

S'amuser ensemble, se libérer
de ses tensions par le rire et
la sexualité, sont de saines façons
de s'aimer. Cependant, vous veillerez,
tout au moins dans un premier temps,
à établir un code commun dont voici
les grandes lignes.

GARDEZ LE SECRET SUR VOS PRATIQUES

Inutile de faire étalage de vos prouesses
amoureuses en société, surtout si votre
partenaire s'y oppose. Vous pouvez naturellement conseiller cet ouvrage à vos amis,
l'offrir à un couple de jeunes mariés ou
de retraités désœuvrés, mais n'entrez pas
dans les détails licencieux de tel ou tel jeu.

NE METTEZ PAS VOTRE PARTENAIRE EN DANGER

Même si le danger physique ou psychologique constitue la clé dramatique
des jeux et excite le désir sexuel,
sachez quelles sont les limites
entre ce qui est acceptable
et ce qui ne l'est pas,
dans votre couple.
Ces limites ne

sont d'ailleurs pas intangibles. Avec l'expérience, vous pourrez en établir de nouvelles, plus flottantes. Il faut savoir faire preuve de patience, différer un jeu et respecter le refus ou l'indisponibilité de l'autre sans en faire une montagne. C'est aussi cela, la tendresse. L'amour est un jeu, pas un ring ou un champ de bataille. Abstenez-vous de toute pratique cruelle : morsures violentes, griffures, tortures. Refusez tout ce qui pourrait ressembler de près ou de loin à une mise à l'épreuve ou à des représailles.

DIVERSIFIEZ LES RÔLES

En adoptant des comportements complémentaires pour maintenir l'équilibre du couple, les partenaires ont tendance à se figer dans des rôles préétablis et des systèmes relationnels de type soumission-domination, punition-récompense, gentil-méchant. Ces scénarios de vie limitent le champ du possible et annihilent toute créativité. Or s'aimer, c'est aussi surprendre l'autre et se surprendre soi-même.

PRENEZ VOTRE TEMPS

Les jeux de rôle sont des instruments très efficaces de formation pour le couple. Les mises en scène permettent de faire preuve d'inventivité et d'enrichir sa sexualité sans bloquer le partenaire par des demandes trop brutales. Mais il est parfois souhaitable de ne pas précipiter les choses. On ne peut pas, du jour au lendemain, chambouler toute une histoire à deux sans y laisser quelques plumes. Vous sentez-vous prêts à jouer ? Avez-vous ce courage ? Accepterez-vous les déconfitures en riant ? De toute façon, dites-vous bien que vos échecs sont votre plus belle richesse amoureuse. Alors, évitez le ping-pong verbal qui consisterait à vous renvoyer mutuellement les responsabilités.

LAISSEZ TOMBER

Dès qu'un jeu devient ennuyeux, abandonnez la partie ! Ce n'est plus un jeu, mais un simulacre. Vous renoncerez également à jouer si les sensations ne sont pas au rendez-vous, si vous éprouvez des sentiments de rancœur, d'indifférence ou de frustration. Ces impressions sont souvent les indicateurs de maladresses : manque de tact, de savoir-faire, absence d'écoute authentique, incapacité à comprendre l'autre, précipitation ou angoisse. Là encore, l'expérience est un bon remède.

OUBLIEZ LES RÈGLES

La pratique aidant, certains pourront choisir l'absence totale de code, ce qui est encore la plus belle preuve d'amour : tout repose sur la confiance que vous avez fondée l'un dans l'autre.

comment créer un jeu ?

Écrire un jeu ne nécessite pas de compétence particulière. Vous aurez juste besoin d'un stylo, d'un bloc de papier et d'un peu d'imagination. Vous pouvez, à votre convenance, y travailler seul ou en collaboration avec votre partenaire. Mais dans ce cas, l'effet de surprise sera inopérant. À vous de savoir ce que vous recherchez exactement... Le plus simple est que vous calquiez votre méthode d'écriture sur les jeux présentés dans ce livre. Un jeu de rôle définit, par principe, des personnages, une situation dans laquelle ils se rencontrent, et propose une courte description sommairement scénarisée, mais non dialoguée. Le jeu est un prétexte, et non une fin en soi. Ne rédigez donc pas des séquences trop fermées dans lesquelles vous auriez pris soin de décrire minutieusement les actions, une à une, comme dans un scénario de cinéma. Il est indispensable de laisser la place à l'improvisation et à la créativité amoureuse. Pour reprendre une métaphore empruntée à la mécanique, il doit y avoir du « jeu » dans l'écriture du jeu. De même, il est possible d'insérer un décalage, en termes d'information, dans les rôles des protagonistes. L'un des partenaires sait quelque chose que l'autre ignore. Prenez garde, toutefois, aux contradictions rédhibitoires qui rendraient impossible toute mise en scène. En dernière instance, testez votre jeu et apportez les modifications qui vous paraissent souhaitables. Après l'expérimentation, rangez vos fiches dans un classeur. Vous pourrez ainsi vous constituer une bibliothèque de scénarios et rejouer, à l'occasion, ceux qui vous ont apporté le plus de satisfaction.

COMMENT SAVOIR CE QUE SOUHAITE L'AUTRE ?

Recueillir les souhaits de votre partenaire permet de concevoir des jeux adaptés à ses désirs, ses fantasmes, ses pulsions et de les mettre en scène. Vous pouvez en parler de vive voix ou lui demander de détailler par écrit:
ce qu'elle n'aime pas,
ce qu'elle aime moins,
ce qu'elle aime,
ce qu'elle souhaiterait.

QUE FAIRE APRÈS LE JEU ?

Immédiatement après le jeu, quelques heures plus tard ou dans les jours qui suivent, vous gagnerez à échanger vos impressions sur le déroulement de la partie. Qu'est-ce qui vous a plu ? Qu'avez-vous moins aimé ? Pourquoi ? Avez-vous éprouvé des difficultés à rentrer dans la peau de votre personnage ? Pour quelles raisons à votre avis ? Le comportement attendu était-il trop éloigné de ce que vous connaissez ?

AVEZ-VOUS EU PEUR ?

Abordez franchement les problèmes survenus. Exprimez vos besoins et prenez en compte ceux de votre partenaire. Cette analyse propre à toute conduite d'apprentissage vous permettra de faire évoluer les scénarios dans le sens qui vous convient. Nous vous rappelons que les jeux ne sont que des cadres formels. Adaptez les situations décrites à votre environnement et autorisez-vous toute latitude dans l'interprétation.

EXISTE-T-IL D'AUTRES POSSIBILITÉS DE JEU ?

Nous vous proposons ci-après trois autres formes de divertissement proches des jeux de rôle. Nous ne doutons pas que vous en ferez bon usage !

LES JEUX SPONTANÉS

Il est souvent très stimulant de mettre en scène des jeux non prémédités, dans des circonstances imprévues, lorsque le désir est au rendez-vous et que les conditions s'y prêtent. Vous vous sentez tellement bien tous les deux dans cette vieille barque qui prend l'eau, au milieu du lac, ou sous la frondaison gazouillante, qu'il serait dommage de laisser filer cet instant magique. Assurez-vous de votre appétit mutuel et convenez rapidement des modalités du jeu avant de procéder.

INVENTEZ LA SUITE

Le principe de ce jeu consiste, pour l'un des partenaires, à inventer le début d'une histoire et à le confier, verbalement ou par écrit, à son complice. L'autre disposera d'un temps de réflexion pour en imaginer la suite, avant la mise en scène proprement dite.

Voici, par exemple, trois ouvertures possibles : « Je serais un gangster, toi une femme-flic. Tu me conduirais au commissariat pour un interrogatoire musclé... », « Je serais un instrument de musique, toi un virtuose. Tu jouerais sur moi la Sonate au clair de lune... », « Je serais une chanteuse d'opéra. Après le spectacle, tu me rejoindrais dans ma loge et tu m'endormirais au chloroforme... ».

L'AMOUR À L'INFINI

Cette fois, c'est le hasard qui décide ! Prévoyez cinq boîtes dans lesquelles vous déposerez des petits morceaux de papier pliés en deux.

Une boîte renfermera les rôles masculins. Inscrivez sur les feuillets tous les personnages qui vous passent par la tête : ogre, extra-terrestre, médecin, Tarzan, moine, etc. Procédez de même avec les rôles féminins : sorcière, carmélite, prostituée, infirmière, hôtesse de l'air, soubrette, etc. Déposez les lieux dans la troisième boîte : placard, église, hammam, jardin, cabine d'essayage, etc. Poursuivez avec les vêtements : panoplie de Zorro, fourrure, sous-vêtements érotiques, masques, etc. Terminez par les modalités d'action : tendrement, brutalement, sans les mains, farinés, mouillés, attachés, etc.

Il ne vous reste plus qu'à tirer un petit papier dans chacune des boîtes et à imaginer une scène à partir des éléments obtenus. Rires garantis ! Si les paramètres ne collent pas, modifiez la donne.

Rideau

Les conventions sociales et culturelles,
l'éducation que nous avons reçue de nos parents ou
de nos maîtres, la résistance que nous opposons au changement,
la peur de l'inconnu et la routine du quotidien, tous ces éléments influent
sur notre personnalité, souvent à notre insu. Ils entravent notre génie créateur
et réduisent notre inventivité amoureuse à une peau de chagrin.
Or, aimer est un acte créatif, au même titre que la composition musicale ou la peinture.
La tendresse est une œuvre en chantier permanent.
Il y a ceux qui écoutent un air à la radio en passant une couche de peinture au rouleau,
sur les murs de la cuisine, et les autres...
Ceux qui sont acteurs de leur destinée, ceux qui se prennent à rêver en musique,
ceux qui, par de légères touches colorées, donnent vie à leur univers fantasmatique.
Nous vous invitons à rejoindre les membres du second groupe.
Pour cela, permettez-nous de vous adresser quelques derniers conseils avant de vous saluer.

En amour, efforcez-vous de retrouver votre âme d'enfant.
Libérez-vous du sentiment de culpabilité et transgressez les interdits.
Suivez votre inspiration et agissez avec authenticité.
Chérissez l'imprévu.
Apprenez à rire ensemble avec tendresse.
Raccrochez votre personnage social au vestiaire.
Fermez la porte du vestiaire.
Oubliez vos clés !

Et soyez heureux !

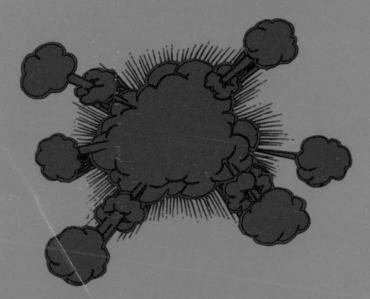

Imprimé au Canada